A Dios, por ser el pilar fundamental de mi
vida y hacer que todo sea posible.

A mis padres, por siempre haberme apoyado y dejado fluir
en cada una de mis ideas y emprendimientos desde niño.

A mis mentores, por cada minuto de tiempo dedicado
a mi enseñanza y compartir su sabiduría conmigo.

A mis equipos de trabajo, por darle forma a mis
ideas demostrando que son duplicables y así
poder hoy en día llamarlas EMPRESA.

Emigrar a la Prosperidad

Método del éxito en las ventas para inmigrantes

Sergio Carta
@scarta7

EMIGRAR A LA PROSPERIDAD

@scarta7 cartabusinessgroup.com

Primera edición 2024
ISBN: 9798877438316

Producción editorial: Antonio Torrealba
Becoming an Influencer Corp.
Antoniotorrealba.com @atorreal

Contenido

Presentación

uerido amigo latinoamericano, saliste de tu país a vivir, no a sobrevivir. Mi trabajo con la numerosa comunidad de venezolanos y latinos aquí en Estados Unidos y en Europa me ha convencido de que sí te puedes desarrollar como inmigrante en cualquier lugar del mundo.

Yo soy ejemplo de esta afirmación: viví mi niñez entre dificultades y me superé como inmigrante latino que pudo adaptarse en Estados Unidos. Aquel sueño me ayudó a aprovechar cada oportunidad, a dejar el ego de lado cuando fuera necesario y a agradecer hasta por las dificultades y fracasos, que son los que me permiten hoy darte una mano desde estas páginas.

Los primeros años fueron un aprendizaje, en ocasiones doloroso. Aguanté mucho, soporté más, pero fui afinando mi visión para no perder la oportunidad de desarrollarme cuando llegase el momento.

Con este libro busco compartir contigo lo bueno que hallé en el camino, y a orientar a otros en el difícil viaje a la adaptación y crecimiento como inmigrante latino.

Aunque me encontré con muchos saboteadores en varias esquinas de la vida, puedo afirmar que los más peligrosos a veces son aquellos temores que saltan desde nuestro propio interior y que muchas veces nos perdemos y paralizamos. Porque estoy seguro de que en algún momento has pensando en tener un negocio propio, ser el dueño de tu propio tiempo y destino, no cumplir un horario y alcanzar la libertad financiera.

¿Qué tan difícil piensas que pueda ser llegar a lograrlo? ¿Realmente lo has intentado? Estoy convencido de que a través de la venta tú puedes tener éxito migratorio. Para mí es el camino más seguro, por ello quiero ofrecerte las herramientas para triunfar en esta actividad.

Mi aspiración los capítulos de mi vida que te cuento aquí, sean la invitación para que busques tu propia voz y lugar en el país en el que estés. Soy un vendedor y quiero que tú lo seas, con todo lo que significa el término: alguien que ofrece argumentos poderosos para vender cualquier cosa, desde un producto o servicio, hasta su propia imagen para crear finalmente conexión y fidelidad.

Finalmente, este libro es una página en blanco que te extiendo para que empieces a contar tus batallas grandes y pequeñas, a plasmar tu reafirmación como ser único y trascendente en una tierra ajena a la tuya, a escribir tu propia realización. ¿Sabes por qué? Porque entonces tú yo le habremos dado, al sentirnos valiosos para nosotros y los demás, un tributo a la vida. ¿No es acaso eso por lo cual vinimos al mundo? Sí, ese es el legado que escribo en estas líneas. Y el que quiero que escribas por ti mismo.

Sergio Carta
@scarta7

Prólogo

Emigrar a la Prosperidad –dijo Sergio–, sentados en la mesa de un café mientras nos poníamos al día, pues hacía tiempo que no nos veíamos luego que él se mudara a Los Ángeles, California, buscando conquistar otro de sus sueños o quizás simplemente abierto a la aventura de emigrar.

Esta frase, ahora título de este libro, fue como me enteré del manuscrito que mi amigo Sergio había escondido y ahora parecía listo para hablar de ello y zambullirse en esta aventura de la literatura, pero esta vez no como lector sino como escritor. La emoción de saber que un amigo se dispuso a escribir y editar su ejemplar no se hizo esperar. Las próximas horas hablamos de los sueños, lo difícil que es alcanzarlos y, por supuesto, de Emigrar a la Prosperidad.

Los sueños –como sustantivo– suelen incluir algo que no tenemos, o incluso un lugar en el mañana que quisiéramos alcanzar. Ahora bien, soñar –como verbo– es un ejercicio propio de cada uno de nosotros que requiere el uso de nuestra imaginación para crear un futuro ideal.

Imaginar el futuro es algo que algunos lo ven como un juego, y aunque pueda ser divertido, debemos cuidar la idea de nuestro mañana pues no se trata solo de responder qué quiero tener o hasta dónde quiero llegar, sino mucho más importante: ¿en quién me tengo que convertir para llegar a tener, ser, o alcanzar lo que quiero lograr?

Esta es la magia de la literatura. Ahora estas letras nos acompañarán para toda la vida y ustedes tendrán una ventana abierta a aquellas ideas que Sergio escribió en la intimidad de la soledad y desde la sabiduría que le ha dado la experiencia, en especial, la de emigrar.

Estas ideas, ahora serán también de ustedes, y será nuestro punto de encuentro cada vez que contemplemos la idea de emigrar.

Al igual que Sergio, yo también emigre hace años de mi país natal –Venezuela–. De ahí mi primer pensamiento con el libro, uno que narraría la historia de un inmigrante en los Estados Unidos en la búsqueda de lo que se conoce como "el sueño americano" mientras desafiaba las probabilidades de éxito.

Lejos de la realidad, Emigrar a la Prosperidad es un texto que invita a un viaje interno e individual. A reconocer lo que soy, describir lo que quiero ser, y responder como quiero llegar a serlo. Ese día tuvimos la oportunidad de compartir muchas historias y nos sorprendió saber que tanto él en el ejercicio de su oficio, como yo, nos hemos encontrado a cientos sino miles de personas que, por temor, falta de conocimiento, o cualquier otro pretexto no se atreven a perseguir sus sueños, quizás por el lugar donde nacieron, su condición económica, y otras tantas que con la guía correcta pudieran superar.

¿Cuántos sueños se quedan sin alcanzar? ¿Cuántos de nosotros –por temor o cualquier otra razón– ni siquiera lo vamos a intentar? Estamos ocupados sobreviviendo, buscando el pan, distinto a lo que otros autores llaman "zona de comodidad" pues estoy seguro que la idea de comodidad se ve muy distinta a las vicisitudes de una persona al emigrar.

Lean con detenimiento, en especial los capítulos "Mira dentro de ti" y "Deja atrás el Yo Era", y encontrarán los verdaderos secretos de la evolución. Aunque de antemano les digo, no esperen de Sergio una lectura suavizada por la poesía, o adornada con verborrea innecesaria, por el contrario, cada oración sería lo equivalente en el beisbol a un partido perfecto con nada más que rectas de 120 millas por hora.

Es por eso que este viaje literario, así como cada minuto de aquella conversación, les invitará a pensar en los sueños más allá del ¿Dónde estoy? y ¿Dónde quisiera estar?, o ¿Qué tengo? y ¿Qué me gustaría tener? los llevará a cuestionarse ¿Quién soy? y más importante ¿Quién quiero ser? o ¿En quién debo convertirme para llegar a los lugares, o tener aquello que siempre he soñado?

Así pues, gracias, Sergio por el café, por invitarme a darles la bienvenida a tus lectores a estas tus letras, y siempre ser un amigo que sume a mi prosperidad.

Laura Chimaras

El "sueño americano" sí existe

"Lo importante en la vida
es que sepas dónde estás
y a dónde quieres llegar.
Todo lo demás es seguir
el camino entre ambos
puntos",
Nelson Mochilero

Este libro empezó hace muchos años. Claro que no tenía título, no pensé en cuántas páginas escribiría o si sería de tapa dura o con muchas o pocas páginas. Mucho menos imaginaba que también podrías leerme desde tu tableta o desde esa supercomputadora portátil que es hoy un smartphone.

De lo que sí estaba seguro es que desde niño tuve la idea de traducir ese mundo que vivía desde los valores familiares que me moldearon en mi infancia. De contar cuánto conquisté, de hablar en voz alta de las renuncias y convicciones que me trajeron hasta aquí.

Desde niño fui un amante de los negocios, y vendí desde soldaditos de juguete y dibujos de Dragon Ball a los compañeritos del colegio, hasta, ya adolescente, teléfonos celulares.

Por lo que no fue raro que, a los 20 años de edad, emprendí mi propio negocio de venta de calzados, que al poco tiempo me dio la fortuna de establecerme económicamente y empezar a alcanzar la libertad financiera que, venido de unos orígenes humildes, siempre deseé.

Para ese momento ¡yo no tenía ni visa! Viajé sin intenciones de quedarme, simplemente para acompañarla, así que permanecía durante tres meses en Miami, volvía a Venezuela por una breve temporada, y regresaba de nuevo.

Durante el primer año seguí sustentándome del negocio de los zapatos, pero en 2016 Venezuela terminó de desplomarse cuando arreciaron la crisis económica y la inseguridad; mi negocio no generaba las ganancias suficientes para mantener el nivel de vida que llevaba en Estados Unidos, así que decidí emigrar definitivamente.

Viví en Caracas hasta los 24 años, cuando, en 2015, me radiqué en Estados Unidos. Una vez más, la vida me ponía a prueba, ahora en un nuevo país, con un nuevo idioma y donde mi experiencia previa no era tomada en cuenta a la hora de conseguir trabajo. Tocó empezar desde cero y, por primera vez en mi vida, trabajar para otra persona.

De valet parking...

Como todo inmigrante, me dispuse a trabajar "en lo que salga". Durante los primeros seis meses me mantuve como valet parking, hasta que se me presenta la oportunidad de trabajar en restaurantes, un área que recomiendo ampliamente. ¿Por qué?

Porque así empieces lavando platos, estarás en contacto con todo tipo de gente, podrás mostrar de lo que estás hecho y marcar la diferencia. Cuando quienes te rodean notan que eres una persona inclinada a la calidad de servicio, te abren las puertas para ascender, primero como mesero, luego de manager, y así vas escalando porque tu crecimiento depende enteramente de ti.

No hay trabajo pequeño, solo peldaños: valet parking, repartidor, mesero y bartender fueron algunos de los oficios que ejercí con orgullo para ganarme la vida y lograr el sustento lejos de mi país y de mi familia.

Si en algún momento tendría que repetir esos oficios, lo haría sin pensarlo dos veces porque me forjaron el carácter, me acercaron a todo tipo de gente y me dieron la experiencia con la que hoy cuento.

Muchos inmigrantes se quejan de que tienen los peores trabajos. Con esa actitud seguramente se estancarán en la posición que tanto les disgusta.

Aunque la barrera del idioma me cerró el paso para ser contratado en locales de mayor prestigio, también me obligó a buscar opciones y a crear la oportunidad porque todo trabajo, por modesto o rudo que sea, te hará llegar lejos si lo asumes como un paso en tu crecimiento y absorbes todo lo que puedas de él: desde aprender un oficio determinado, hasta la ampliación de tu networking o red de contactos.

Primeros pasos

Para triunfar en cualquier área, debes identificar lo que te gusta, aquello que sientas es afín con tus habilidades, aspiraciones y personalidad. Te revelo mis primeros pasos para prosperar en este país como inmigrante latino:

- **No subestimes ningún trabajo,** da lo mejor de ti y marca la diferencia.
- **Edúcate.** El nivel educativo es como la tos: siempre se nota. Tarde o temprano tu formación te servirá para superarte cualitativa y materialmente.
- **Organízate** y mantén una disciplina de trabajo.
- **Mira alto.** Quién quita que luego de que asciendas en tu trabajo, se te presente la oportunidad

de asociarte con el dueño del restaurante para abrir otro local.

- **No te estanques.** Busca la excelencia en cualquier trabajo, pero fíjate un techo. Solo así podrás tener la visión para avanzar. La suerte sonríe a quienes la buscan.
- **Ahorra** todo lo que puedas para crear tu propio negocio.

Mientras enriquecía a otra persona, yo seguía ganando menos del 1 % de lo que aportaba a la empresa o al dueño. Pero estaba convencido de que Dios me trajo a este mundo y me dispuso en este país fue para explotar lo mejor de mí, para generar dinero y animar a otros a subir, como yo, la cuesta de la anhelada prosperidad.

...a Gerente #1

El sueño americano sí existe, solo que no se hará realidad si permaneces ocho horas diarias en un trabajo, ni mucho menos subsistiendo con un salario en el que otra persona subestima lo que vale tu talento y desempeño. Durante casi tres años lo estuve buscando de esa forma y siempre estuvo muy lejos de aparecer.

Hubo un momento en que comprendí que, para alcanzar la libertad financiera, debía cultivar hábitos distintos y una nueva mentalidad que me ayudara a destacar ya marcar la diferencia. Llevaba tres años siguiendo un sistema que solo exprimía lo mejor de mí sin darme prácticamente nada a cambio. Entendí que debía dormir menos y trabajar más, y que en ese trabajo no podía aceptar algo "fijo" o "seguro" porque en ese mismo momento estaba sentenciando mi esclavitud.

Tal como afirmó el economista Friedrich von Hayek en su libro El camino a la esclavitud:

"La capacidad de ganar y gastar dinero libremente es la cualidad primordial que diferencia claramente a un hombre libre de un esclavo. Un esclavo tiene todo lo que necesita para vivir: un techo que lo cubre, ropas para vestirse, comida para alimentarse y atención médica cuando se enferma. Además, por supuesto, siempre tiene trabajo. Lo único que le falta es elección. Un esclavo no tiene la opción de ahorrar dinero para decirle un día a su jefe 'renuncio'. No puede comprar una casa diferente si se cansa de la primera. No puede cambiar de médico si el matasanos que le envía su amo resulta incompetente. El esclavo debe aceptar los planes que haga su amo". De allí que este autor sostenga que "el dinero es uno de los más importantes instrumentos de libertad creados por el hombre".

La pobreza y la riqueza tienen que ver en primer término con la tenencia y el manejo del dinero.

De todas mis lecturas, hice algunas anotaciones, que espero te sirvan para detectar la sutil pero poderosa diferencia entre una persona rica (o con potencial para serlo), y una persona pobre:

Pobres /Clase media	Ricos / Emprendedores
Trabajan para otros, son empleados. Piensan que ya todo está hecho.	Generalmente son empleadores. Crean empresas porque creen en ellos.
Asumen el dinero como exclusivo valor transaccional o de intercambio.	Creen en el dinero como generador de dinero. Como polea de la inventiva.
No se preocupan en asuntos de finanzas o inversión. "Eso es materia de contadores y economistas".	Asumen la formación e información financiera y la aplican en sus iniciativas de negocio y de su vida privada.
Buscan la manera de cubrir sus necesidades y las de los suyos. No dedican tiempo para ir más allá porque creen que no pueden.	Aparte de sus necesidades, detectan las necesidades de los demás para resolver problemas. El dinero viene "por añadidura".
Piensan que se merecen "oportunidades".	Crean las oportunidades donde al parecer no estar.
Expresan la frase "Los ricos están completos"	Se dicen a sí mismos "El dinero está ahí, solo hay que saber buscarlo".

Cada vez que el idioma me cerraba puertas, yo tenía que recomenzar, como en la fábula de Sísifo: valet parking o mesero, hasta ganarme de nuevo la confianza y llegar arriba. En ese proceso, y con el dinero ahorrado, se me da la oportunidad de crear una compañía de entretenimiento nocturno.

Durante un concierto del cantante Sixto Rein en una discoteca en Miami conocí al influencer @marko, a quien luego contraté como animador para el debut de la compañía Premium High Productions, mi primer emprendimiento en Estados Unidos, hasta que tuve la bendición de llegar a Quintero & Partners (@ quintero_partners).

Allí me ofrecieron la oportunidad de formar parte del equipo, pese a no tener experiencia en la industria financiera. Confieso que jamás me había puesto un traje y una corbata en otro escenario que no fuera un matrimonio u otra celebración parecida.

Como todo recién llegado, comencé siendo agente de ventas, y gracias a mi desempeño logré mi ascenso como supervisor en menos de seis meses, y luego en seis meses más obtuve el cargo de gerente.

Tras sobresalir a nivel mundial como Gerente #1 de la compañía con operaciones en los cincuenta estados de USA, Canadá, Australia y Nueva Zelanda, logré convertirme en un Master General Agent y Senior Partner.

Le di a mi vida un giro de 180 grados. Hoy manejo el auto que anhelaba tener cuando trabajaba de valet parking, visito los restaurantes donde anteriormente solo podría haber entrado a pedir trabajo, y tanto financieramente como profesionalmente, el crecimiento continúa.

No vendas tu vida

Si trabajas a cambio de un sueldo o si tu hora laboral tiene un precio, en fin, si el dinero que ganas es directamente proporcional al tiempo que inviertes trabajando, tienes un serio problema: estás vendiendo tu vida.

Es probable que no seas consciente de tal catástrofe porque vivimos en una sociedad que ha aceptado esa norma establecida: el mundo de hoy necesita personas dispuestas a entregar ocho horas diarias durante toda su vida, de lo contrario el sistema no funciona. Pero si pudieras verte con mis ojos te darías cuenta del mal negocio que estás haciendo.

Piénsalo: mientras sigas cambiando tu tiempo por dinero, serás un esclavo de ti mismo.

Estamos acostumbrados en la industria convencional a esperar años para que una posición superior quede vacante o la persona que ocupe el cargo fallezca o se retire para poder optar a ella. Haz regalado años siendo una tuerca más de un engranaje que te etiqueta, limitándote y colocándote el precio que otro decida, sin la opción de poder elegir cuánto de verdad vales.

El tiempo es nuestro recurso más preciado, no permitas que se te vayan 30 años o más de tu vida intercambiándolo por lo que otro decida y encadenándote a estar físicamente por siempre en una sola locación.

Yo lo entendí. Y porque lo comprendí muy bien es mi deber advertirte que no sigas regalando los mejores años de tu vida y enriqueciendo a una persona o empresa que en cualquier momento decide prescindir de ti; o simplemente darte, luego de 20 o 30 años, un cheque de jubilación que a duras penas te alcanzará para comer.

Cuando tu activo son tus horas trabajadas, te obligas a entregar ocho horas al día para ganarte el pan. Pero recuerda que tu tiempo en este mundo no es ilimitado. No sabes cuándo morirás, pero sí sabes que cada día que pasa es uno menos que te queda.

Así que hazte el favor de no derrocharlos. Utiliza una conciencia cada hora de tu vida. No permitas que el sistema o las expectativas de los demás digan cómo debes pasar cada minuto; haz que cada uno cuente de verdad.

Ignoro dónde estará en los próximos años, aunque seguramente abriendo nuevas agencias a nivel nacional. En esta montaña rusa llamada vida, solo me queda claro una regla dorada: lucha sin descanso por tus sueños y, cuando pase el tren de la oportunidad, tómalo así tengas mil dudas.

La vida está llena de caminos no tomados, de decisiones que posponemos por miedo o incertidumbre. Pero cada decisión que aplazamos es una oportunidad perdida, un boleto hacia un futuro menos brillante. Por eso, es crucial mantener los ojos abiertos y la mente alerta, listos para saltar cuando la oportunidad se presenta.

Incluso si eso significa enfrentar lo desconocido.

Cada hora invertida en alcanzar tus sueños es una inversión en ti mismo. No solo estás acumulando experiencia y habilidades, sino que también estás construyendo el tipo de vida que deseas.

Emigrar al éxito

"Teníamos mucho por recorrer, pero no importa: el camino es la vida"
Jack Kerouac

Cuando abandoné mi exitoso negocio de calzado y los estudios universitarios para finalmente radicarme en los Estados Unidos, debí empezar de cero y dar la cara a los muchos desafíos que enfrenta todo inmigrante que llega a labrarse un nuevo porvenir en otro país. Desde la barrera del idioma, abrirse a una nueva cultura, enfrentar la discriminación, combatir la nostalgia, hasta mantener alta la autoestima ante los constantes obstáculos que se atraviesan en el camino.

Las adversidades o los imprevistos son angustiantes y pueden ser dolorosos, nos descolocan o abruman y en ocasiones dejan huella. Sobre todo si eres un inmigrante ¡y además latino!, una minoría que sin embargo cada vez se va haciendo más mayoritaria en Estados Unidos.

Así que superarse implica mucho trabajo, foco, fortaleza personal, creatividad, e interpretación de tu nueva realidad para adaptarte. Pero sobre todo, buenas dosis de esperanza por lo que luchar y crecer.

De los recursos que utilicé durante mi experiencia personal, te comento aquellas recomendaciones iniciales que sugiero tener en cuenta para no dejarte avasallar por las primeras circunstancias con las que te tropieces en tu camino al éxito y la prosperidad financiera.

Mira más allá de las circunstancias

Provengo de orígenes muy humildes, económicamente hablando. La palabra humildad es bella y tiene muchos significados para mí, que seguro iré plasmando a lo largo de estas páginas. Pero aquí me refiero a la humildad material, a la estrechez económica con su potencial de torpedear nuestros sueños. Si es que tú la dejas. ¡Yo decidí que no! Y te cuento por qué.

El hijo de Nahir y José, el nieto de Julia Carta, creció en la humilde calle Venezuela de San Martin, Caracas. Tuve la oportunidad de tener una infancia bastante normal, tranquila y alegre. Dentro de sus modestas posibilidades, mi papá siempre nos dio todo lo que podía, desde el cariño y su presencia, hasta la mejor educación posible e inscribirme en los mejores colegios, donde yo conocí una realidad distinta a la que veía en el barrio donde crecí.

Por lo general, los niños de comunidades pobres estudian en el colegio del barrio o en uno público, pero que a mí me llevaran a un colegio privado, y a uno de los mejores de la zona, me enseñó una parte del mundo diferente al que yo veía diariamente en mi entorno familiar y vecinal.

Creció en mí la aspiración de crecer para honrar el sacrificio de mi padre, pero también porque yo disfrutaba cada avance y cada cota de superación. Y cuando empecé a crecer, tanto en lo académico como en lo deportivo, me convertí en una referencia dentro de mi comunidad. Solía escuchar "Sergio es el que saca buenas notas", "A Sergio le va bien en el deporte", o "Sergio se destaca en su escuela". Esas expresiones positivas me comprometían todavía más a dar el 100 % de mí en un círculo virtuoso, satisfactorio y vivificante. Así que entendí desde pequeño que mis esfuerzos y logros me inspiran a la vez que podían inspirar a otros, a convertirme en un ejemplo para los demás.

No creas que estoy alardeando aquí de ello, al contrario. Lo que quiero dejar claro es que el éxito, el triunfo, la realización personal está al alcance de todos, siempre y cuando tengamos la disposición y tomemos acciones para superarnos en cualquier lugar del mundo y en las situaciones más precarias.

Muchos amigos de la infancia hoy se encuentran en otros países luchando por sus sueños; otros, lamentándolo mucho, escogieron por su parte el mal camino y ya no están con vida o se encuentran privados de libertad. No podemos escoger el lugar ni las circunstancias donde nacemos, pero todos tenemos la capacidad de luchar por cambiar y mejorar nuestra situación, la de nuestras familias y por supuesto la de nuestro entorno social. Porque las dificultades pueden sacar lo peor de ti, pero también lo mejor, lo más luminoso.

> **¿Y tú? ¿Qué estás haciendo hoy por cambiar tu situación de mañana? ¿Que las circunstancias no te favorecen? ¡Voltéalas tu favor!**

Esa eterna queja en que viven muchos a nadie le importa, más bien molesta y crea un ambiente negativo que solo sirve para hundirlos más y distanciar a las personas que podrían servirles de apoyo. Los quejosos chapalean sin advertirlo en el lodo de su supuesta "desdicha".

Quien se queja porque debe pagar las facturas, por ejemplo, olvida los beneficios que recibió por esos servicios o bienes que las generaron. En vez de bendecir la posibilidad de pagar por ello, las tachan de empobrecedoras, de que no les alcanza para otras cosas. En ese caso la pobreza ya está atascada en la mente.

La victimización es la peor trampa que te enfrentas con las creencias limitantes, pues si tú piensas que tu fortuna, tu pareja o tu destino dependen de agentes externos, ya has perdido la mitad de la partida en tu camino a la prosperidad y el crecimiento personal.

Es cierto que haber nacido en cierto tipo de familia, amigos, contactos pueden condicionarnos de algún modo, pero está en tu poder tomar esas circunstancias a tu favor, por muy difíciles que sean (ya te he dicho que la carencia me impulsó a desear todo en la vida), o delegar la responsabilidad de tu vida en otros y no en ti mismo.

"Estoy convencido de que son nuestras propias decisiones, y no las condiciones de nuestras vidas, las que configuran nuestro destino más que ninguna otra cosa", escribió Tony Robbins. Lo he vivido en carne propia: no importan tanto las ventajas o desventajas con que hayas nacido, lo importante es lo que tú decidas hacer, incluso burlándote de tus propias circunstancias.

Por supuesto que no te digo aquí que le pongas un filtro rosa a las dificultades que tienes o enfrentas, para nada, pues sería un escape o evasión. De lo que se trata es de encararlas con una actitud edificante, solo así podrás exprimir tu creatividad, capacidades y recursos.

El significado de las dificultades

Para hallarle un significado valioso a las circunstancias adversas o crisis, te invito inicialmente a reconocerlas a través de estas preguntas:

1. ¿Cómo me obliga esta carencia, revés o crisis a replantearme las cosas? Anota algunas ideas para hacerlo, por locas que te parezcan. Plantéalas a tus amigos y personas

en quien confías. Puede que estén de acuerdo contigo. Y puede que no, que también sería útil si les pides que te digan cómo las ven ellos.

2. ¿Esta situación me devuelve a mis valores, a lo que en verdad cuenta para mí?
3. ¿Qué nuevas personas puedo contactar para buscar apoyo con miras en el largo plazo?
4. ¿A quiénes admiro? Cuando te encuentres paralizado, anota al menos tres nombres de personas a quienes admiras y ¡búscalas para colaborar con ellas! No importa que sea un voluntariado. Lo importante aquí es que te pones en su radar. En cualquier momento surgirá la oportunidad que deseas.

Cambia de país, cambia de mentalidad

Durante mis dos primeros años en Estados Unidos caí en una etapa de desánimo, simplemente porque me di cuenta de que mis patrones mentales del momento no encajaban con la nueva realidad. Radicarse exitosamente en un nuevo país pasa por conocer la mentalidad de esa nación, y adaptar tus propias rutinas y esquemas de pensamiento a tu nuevo escenario humano y físico.

No sugiero que te traiciones y que de ahora en adelante luzcas un sombrero de cowboy y una camisa con las 50 estrellas de la bandera estadounidense, sino que armonices tus patrones mentales a tu nueva realidad para tomar lo mejor de los dos mundos y potenciar tus propósitos y metas.

Te pongo como ejemplo mi país natal, Venezuela, donde si estás empleado puedes faltar al trabajo por, digamos una consulta médica, y te pagan el día. Eso no suele suceder en Estados Unidos. Aquí trabajas por horas y cuidas tu trabajo con los dientes porque cada hora cuenta. Si no trabajas, no cobras, no comes.

Pero cuando un inmigrante latino se topa con un negocio donde puedes trabajar un día duro y te ganas 5000 dólares al mes y el horario y la productividad dependen de ti, entonces cedes a la tentación de las excusas y hasta te enfermas un día sí y el otro también, en caso de que te hayas aferrado a tu mentalidad de empleado.

¿Qué estás haciendo? Saboteando tu propio crecimiento con patrones mentales que no encajan bien en esta sociedad. Porque aquí debes trabajar al máximo para ti, porque no hay reposo que valga ni excusa que te salve del esfuerzo constante.

Venimos de países del Tercer Mundo a querer vivir de la misma forma en un país primermundista. Y este país es lo que es, y estas potencias son lo que son, porque hacen las cosas totalmente distinto a nosotros.

Cuando queremos venir a aquí o a cualquier país a trasplantar nuestra manera de pensar y nuestra forma de hacer las cosas, entonces no hay crecimiento. Por eso vemos a tanta persona estancada, por ello hay tanto perdedor.

Claro, también creo que se quedan estancados porque vivir bien aquí es relativamente asequible. Entonces la gente se conforma, no se exige más allá de lo que les permite mantenerse en un estado de supervivencia. Si tomamos por ejemplo una pareja en la que ambos miembros ganen el sueldo mínimo, digamos $1600. Los ingresos de ese hogar suman entonces $3200.

Desgajemos esa cifra: vivo en un apartamento de $1200, pago un carro y seguro por $500. Gasto $500 en comida y aún me quedan $200 o $300 al mes. El sueño americano. Y ya, vivo tranquilo. Este país te ofrece calidad de vida. Entonces te quedas allí. No das el paso extra porque, como inmigrante, te castiga el sistema.

Porque llega un punto en que no puedes aspirar a más sin título universitario, sin experiencia previa, o sin el idioma; sin esos requisitos es muy difícil acceder al mercado competitivo aquí. Ni siquiera un estadounidense.

Yo conozco a muchos americanos y latinos bilingües cuya situación es muy precaria en Miami, y tienen que mirar al norte, a Maryland, o a otra parte, por la saturación que hay. Cuando el camino más corto para salir de la estrechez está en su propia mente, solo que no se han dado cuenta de ello.

No necesitas dinero para salir de donde estás, solo necesitas un cambio de mentalidad. Un mero cambio de actitud es algo tan sencillo como agradecer por todo lo que tienes. Sea poco o no, material o intangible, físico o espiritual, asumir la gratitud como polea te impulsará a plantarte en la vida con optimismo, apertura y determinación para conquistar lo que anhelas.

Dios me dio la bendición, fortuna y oportunidad de jugar al menos en tres equipos profesionales de mi país. Viví todas las carencias del fútbol base en esos años: mala organización, falta de canchas y material para trabajar, atraso en pagos o dinero que simplemente nunca llegaba, pero siempre el amor por el fútbol y los sueños de crecer podían más que todo y hacían que me despertara cada mañana para ir a entrenar, dos veces al día.

Sacrifiqué estudios, juegos y fiestas, novias, viajes con los amigos a la playa y un montón de cosas que en ese momento me distraían de la cancha. Y sé que ellos no entendían aquel distanciamiento, solo aquellos que compartían lo mismo que yo eran capaces de hacerlo. Cuando destaqué, a quienes había dejado de lado momentáneamente entendieron mis negativas y distanciamientos. Y quién quita si les serví de ejemplo o inspiración a más de uno...

Fue esa actitud y determinación, que estaban en mi maleta de experiencias y logros, las que tomé apenas llegué aquí como inmigrante. Fijarme un objetivo, estudiar bien la cancha que estoy pisando y dar todo sin distracciones.

Reitero: el secreto de triunfar en una tierra lejos de la que te vio nacer y crecer es tomar lo mejor de los dos mundos: la obligación de trabajar por horas porque de ello dependerán tus ingresos para vivir; y el esfuerzo constante y enfocado de manera independiente que te lleva a un crecimiento real. No salimos de nuestro país a ser piezas del montón, pues para ello te quedas donde estás; salimos a comernos el mundo, solo debes tomar la decisión de hacerlo, con toda la entrega que ella implica.

Afirmaciones como mantras

- Nunca serás criticado por alguien que hace más que tú, serás criticado por aquel que hace menos que tú.
- Quien piense que alcanzar el éxito es para unos pocos, vive en la mediocridad más absoluta y así es la calidad de vida que lleva.
- El mundo es abundante y hay mercado para todos. Cambia de mentalidad.

En medio de la lucha cotidiana por surgir en este país, se nos olvida detenernos en el por qué muchos latinos, e inmigrantes en general, se quedan en el aparato. Yo estoy convencido, reitero, de que se trata de costras mentales que nos impiden detectar e incluso crear oportunidades.

Reafirmándonos en lo que fuimos y lo que somos, se trata de dejar atrás las creencias castradoras y enfocarse en lo maravilloso que traes de tu cultura para combinarlas con las maneras de ser y hacer de la tierra que te acogió para ¡eureka! adaptarte, avanzar y aportar tus logros a la nueva realidad que vives.

La siguiente tabla comparativa nos sirve para poner en negro sobre blanco algunas de las diferencias entre nuestra identidad hispana y la manera estadounidense de ver el mundo, el trabajo y los negocios. Con ella visualizarás mejor lo que necesitas resaltar en ti, las creencias que debes revisar y lo que puedes abrazar o aprovechar de la nueva cultura para encaminarte al sueño que te planteaste al salir de tu país.

Mentalidad hispana	Mentalidad estadounidense
Crecimos en países con Estados populistas, por lo que nos han convencido de que las soluciones para "el pueblo" vienen de afuera, están en manos de otros.	Es una cultura centrada en el individuo, donde el Estado apenas interviene para pautar las reglas de convivencia y de mercado.
Se apuesta por promesas ajenas, tanto de líderes como de instituciones; atrofiando el propio potencial y creatividad personales.	El emprendedor sabe que la única promesa valedera es la que se hace él mismo y que su bienestar depende de su propia iniciativa.
El "subsidio" improductivo está arraigado en la sociedad. En algunos países se subsidian hasta los servicios públicos.	Se manejan los llamados grants, pero subordinados a planes y proyectos que exigen monitoreo y presentación de resultados.

Las creencias judeocristianas que más se asentaron en el alma hispana son las que les dan una connotación negativa al dinero, a la ambición personal, y al éxito material o la riqueza individual.	Una sociedad que ha conjugado muy bien la frase "el tiempo es dinero", atribuida a Benjamín Franklin. Su economía descansa en la ambición como valor positivo y en el desarrollo individual.
Prevalece la educación pública y gratuita, generalmente precaria en tecnología y recursos docentes. Pocos pueden costearse una educación privada de calidad. Y se conforman con ello.	La educación pública tampoco es de buena calidad, pero se asume la formación como una inversión de largo plazo, por lo cual se ahorra desde muy temprano para pagar universidades exigentes.
Se manejan las creencias "ser rico es malo", "los ricos están completos", "los ricos son explotadores", "el rico es un codicioso".	Están convencidos de que cualquiera puede ser próspero si aprovecha las oportunidades. Los ricos se aplauden y emulan.
El personaje de una telenovela muy famosa de mi país retrató la falta de método y visión de largo plazo con una frase muy pegajosa: "Como vaya viniendo, vamos viendo".	Se promueve el método, la planificación y la preparación para encarar las adversidades emergentes. La visión de largo plazo implica prepararse para los imprevistos.

La dependencia familiar es fuerte, por la sobreprotección habitual en las familias hispanas. Se toma la salida de los hijos del hogar como un "desaire" a los padres.	Se estimula la independencia de los hijos desde temprano, y se asume el abandono del hogar materno como algo sin dramas. Y el paso lógico de la autonomía financiera
Prevalecen creencias limitantes como "no es mi culpa", "aquí no hay recursos suficientes para surgir", "las circunstancias no me ayudan", "no tengo ningún apoyo".	Se piensa que cualquiera puede prosperar si se lo propone, aprovechando los recursos disponibles. Por ello el "sueño americano" es un ideal tan arraigado en la sociedad
Usualmente asume el papel de víctima. Las cosas le pasan a él o es responsabilidad de los demás.	El emprendedor estadounidense, consciente de que su prosperidad solo depende de sí mismo, hace que las cosas pasen.
Quien busque resolver un problema común, y se enriquezca con ello, se le tacha de "aprovechador". ¡He visto linchamientos digitales por vender mascarillas!	Se estimula la inventiva para resolver. El sistema de patentes se encarga de garantizar el crédito a quien logre cubrir necesidades sociales. Y la sociedad de celebrar el éxito.

La solidaridad es una cualidad positiva de la sociedad hispana, que facilita la creación de conexiones profundas y enriquecedoras.	La sociedad americana es individualista, por lo que, al menos inicialmente, se hace difícil la conexión con desconocidos.
Los hispanos son emocionales, lo que podría jugar en contra cuando se trata de tomar decisiones oportunas y necesarias.	La sociedad estadounidense es pragmática, por lo que se inclina mayormente por lo práctico y lo útil, antes que las emociones.

Claro que hay grises en esta comparación, que no todo es blanco o negro. Resalto aquí nuestras debilidades solo para sobreponernos a ellas. La idea es valorar lo que traemos de bueno para abrazar una nueva mentalidad y manera de actuar sin dejar nuestras mejores cualidades de lado. Así podemos adaptarnos más provechosamente a la tierra que nos acoge.

Sugerencias prácticas para triunfar

Para conocer y conectar con el alma de los Estados Unidos, veamos los principios del bien llamado "The First American", o "El Primer Americano", Benjamin Franklin (1706 - 1790).

Como uno de los "padres fundadores" de Estados Unidos, trazó los valores que definieron la identidad colectiva estadounidense, como el ahorro, el trabajo duro, la educación, el espíritu democrático y comunitario, la autonomía de las instituciones y el laicismo del Estado.

Extraigo un decálogo de las 13 virtudes que listó en su autobiografía y que hoy están más vigentes que nunca. No es que las vayas a practicar todas a la vez, que ni el mismo sabio lo hizo, pero sí es conveniente tener a mano estos principios para lograr moverse como pez en el agua en esta enorme pecera que son los EE. UU.:

5. Templanza: no comas hasta el hastío; nunca bebas hasta la exaltación.

6. Silencio: habla solo lo que pueda beneficiar a otros o a ti; evita las conversaciones insignificantes.

7. Orden: que todas tus cosas tengan su sitio; que todos tus asuntos tengan su momento.

8. Determinación: resuélvete a realizar lo que deberías hacer; realiza sin fallas lo que resolviste.

9. Frugalidad: gasta solo en lo que traiga un bien para otros o para ti. No desperdicies nada.

10. Diligencia: no pierdas tiempo; ocúpate siempre en algo útil; corta todas las acciones innecesarias.

11. Sinceridad: no uses engaños que puedan lastimar, piensa inocente y justamente, y, si hablas, habla en concordancia.

12. Justicia: no lastimes a nadie con injurias u omitiendo entregar los beneficios que son tu deber.

13. Moderación: evita los extremos; abstente de injurias por resentimiento tanto como creas que las merecen.

14. Tranquilidad: no te molestes por nimiedades o por accidentes comunes o inevitables.

Estoy seguro de que muchos de estos principios listados por B. Franklin están en tu ADN, porque son sencillamente el "deber ser" de toda persona.

Sin embargo, es conveniente refrescarlos continuamente y tenerlos como timón en nuestra navegación por la vida, no solo para triunfar en los Estados Unidos, sino en cualquier parte del mundo, dado su cualidad de valores humanos universales.

A partir de estos principios, extraigo algunas consideraciones prácticas que recomiendo ensayar para construir tu camino al éxito:

- Si estás empleado en alguna empresa, concéntrate en lo tuyo. Emplea al máximo los recursos de la oficina, "no desperdicies nada", como diría B. Franklin. Ni mucho menos emplees los recursos para uso personal.
- Cuídate de la tentación de las redes sociales en horas de trabajo, así como de llamadas telefónicas a familiares o correos personales. Recuerda: "El tiempo es dinero".
- Deja a Cupido fuera del horario laboral. En Estados Unidos las demandas por acoso sexual son el pan nuestro de cada día. Lo peor que le puede suceder a alguien es ser etiquetado por el movimiento #MeToo
- Si tienes alguna queja, usa los canales correspondientes; si no eres escuchado, simplemente busca otra opción donde te sientas a gusto. Pero por nada del mundo comentes tu descontento por los pasillos.
- Aunque traes una cultura específica, no creas que tú representas tu gentilicio natal, ni para bien ni para mal. No pretendas ser vocero de tu nación, ni te sientas

responsable por lo negativo que señalen de ella; déjales eso a los políticos y diplomáticos.

- Aprovecha al máximo cada minuto de tu turno laboral. No te excedas de las horas reglamentarias, a menos que te lo pidan y, muy importante, te las reconozcan. Lo contrario podría denotar falta de organización del tiempo o improductividad.
- Sé puntual, no permitas en ningún caso que los demás esperen por ti.

Anota tus 5 razones

Al momento de emigrar, ¿con qué intención lo hiciste? Anota al menos 5 razones por las que saliste de tu hogar. Y ve por ellas. Poner las metas y propósitos en blanco sobre negro te ayuda a definirlas correctamente y mantenerlas en tu radar de acción.

Amplia tu visión

Es crucial para un inmigrante captar y procesar su nueva realidad. A partir de los siguientes atributos, te invito a ponerte un lente que ampliará tu ángulo de visión al máximo:

- **Humildad.** Para entender hasta dónde tus conocimientos previos pueden servirte en la nueva realidad. Lo que funciona en una cultura, puede ser inútil en otra. Mirar el contexto te ayudará a adaptar tu pericia y formación a un ambiente distinto.
- **Respeto a lo local.** Apreciar las costumbres y circunstancias locales es clave para implementar tus propias ideas. Estudiar el país al que llegas, conocer sus normas sociales y requerimientos inmigratorios básicos. Sin dejar de lado lo bueno y constructivo que traes de tu cultura, sí debes cambiarte el suiche mental para reconocer las nuevas herramientas y valores que te aporta la nueva realidad.
- **Maestra vida.** Para valorar las experiencias vitales o de calle, que salen al paso más de una vez antes que tu formación profesional.

- **Escucha a todo y a todos.** No solamente a los duchos del negocio en el que deseas despegar, sino también a todo tipo de gentes (activistas, vendedores, periodistas, obreros, amas de casa, etc.). Observa comportamientos y mentalidades, anota puntos de vista y reacciones ante tu negocio o el producto que desees vender.
- **Adaptación.** Empieza con pequeños pasos y a medida que desarrollas tu inteligencia contextual para adaptarte, pisarás más firme y más lejos. Te lo digo con absoluta propiedad, porque lo he vivido y lo sigo practicando.
- **Saber con lo que cuentas.** Tus fortalezas personales y capacidades profesionales.

Mira dentro de ti

"Pregúntate si lo que estás haciendo hoy te llevará a donde quieres llegar mañana"
Walt Disney

Para tener éxito como inmigrante, comprender el entorno para volcarlo a nuestro favor (aspectos vistos en el capítulo anterior) es tan importante como entender y manejar nuestras propias emociones para sacar lo mejor de nosotros mismos y de los demás.

La combinación de ambas hace a los líderes y triunfadores porque comprenden el entorno desde donde alzarse por encima de la media.

El propósito de este capítulo es una invitación a mirar dentro de ti mismo para identificar aquellos puntos de mejora que te lleven al éxito pues, tal como sabiamente afirmó el escritor y filósofo británico Aldous Huxley, "Sólo hay una pequeña parte del universo de la que sabrás con certeza que puede ser mejorada, y esa parte eres tú".

Tres aspectos clave forman parte de esta mirada hacia tu interioridad, luego de la cual saldrás fortalecido y mejor encaminado hacia la prosperidad:

1. Sal de tu zona de sobrevivencia

A la llamada "zona de confort" yo la llamo zona de sobrevivencia: no se puede llamar zona de confort a un estado mental donde estás diariamente sacando cuentas y estirando el último centavo para cumplir con las necesidades básicas. Tener tu computador, tu teléfono o el alquiler del apartamento asegurado, así como cada uno de los gastos que tienes que cumplir mensualmente de manera inapelable, no se llama confort.

Créeme que genera más estrés pasar la vida sacando cuentas como una calculadora ambulante para determinar cuándo puedes tomarte un café en la calle o comer un postre con tu pareja.

Ahora te pregunto, ¿vale la pena que una persona con tu capacidad y determinación, que ya tomó maletas y llego un país distinto al suyo quizá a miles de kilómetros de su hogar, con una cultura distinta, con otro idioma, permanezca viviendo esta vida de sobrevivencia con el pasar de los años? ¡No!

Independientemente de cuál sea la industria o el área que te apasione o te guste, de la forma que sea o haciendo lo que tengas que hacer, toma la decisión de independizarte financieramente. Porque no solo eso genera prosperidad, sino que produce satisfacción individual y te asegura la trascendencia. A continuación te obsequio mis recomendaciones para salir de tu zona de sobrevivencia:

Combate el miedo

Lamentándolo mucho, el miedo a tomar riesgos nos ha programado para tomar trabajos que simplemente nos permiten sobrevivir y no llevar la calidad de vida que deseamos. "Muchos de nosotros no estamos viviendo nuestros sueños porque estamos viviendo nuestros miedos", afirmó Les Brown.

¿Sientes miedo ante los desafíos que se abren en tu horizonte? ¡Excelente! Si no lo sintieras no serías un ser vivo. El miedo es un condimento necesario en este nuevo proceso de emprender, simplemente debes canalizarlo y convertirlo en parte de ese combustible que te llevará al éxito.

La razón por la cual me tomo muy en serio mi trabajo y cada palabra que sale de mi boca es porque durante mucho tiempo fui yo quien estuvo sentado del otro lado del escenario esperando una oportunidad, ansioso y lleno de ganas de conseguir cambiar y mejorar mi calidad de vida y la de mi familia.

Ver que las personas que hablaban tenían historias similares a las mías, que sus testimonios no eran para nada alejados a lo que me había tocado vivir a mí fue el combustible para que todo ese miedo quedara en un segundo plano y permitir que mis ganas de crecer fueran mucho más grandes que cualquier limitante.

Pero hay demasiadas personas que están pensando en la seguridad en lugar de en las oportunidades. Parecen tener más miedo de la vida que de la muerte. Así que para vivir plenamente acepta riesgos calculados, pues tampoco es que te vayas a lanzar al vacío sin paracaídas.

Porque solo el que se atreve a dar un paso adelante es el que llega más lejos, y convierte la vida en una gran oportunidad que se muestra de mil maneras, hasta en los aparentes traspiés. El hombre que logra más es, generalmente, el que quiere y se atreve.

Camino a lo extraordinario

Muchas personas viven diciendo que quieren más dinero, calidad de vida, tiempo libre, un mejor auto o la oportunidad de viajar por el mundo, pero no están dispuestas a invertir tiempo, esfuerzo, sacrificio, disciplina, dinero y todo lo que conlleva el camino hacia esa calidad de vida que tanto anhelan. ¿Eres tú de esas personas? Encuentra la respuesta contestando las siguientes preguntas:

- ¿A final de mes puedes pagar tu renta cómodamente?
- ¿Tus hijos estudian en el colegio o universidad que quisieras para ellos?
- ¿Conduces el vehículo que en verdad te gustaría tener?
- ¿Tienes la capacidad financiera de ahorrar al menos el 20 % de tus ingresos mensuales?
- ¿Puedes darte el lujo de tomar vacaciones no remuneradas sabiendo que de igual forma tus cuentas no van a parar de llegar?
- ¿Tú estás dispuesto a pagar el precio de pasar de lo ordinario a lo extraordinario?

Si la mayoría de tus respuestas a estas preguntas fueron negativas, lamento decirte, querido amigo, que estás invirtiendo tu tiempo y tu vida en el sitio equivocado. ¡Tu vida debería consistir en vivir y no en sobrevivir! Y la única persona que puede tomar la decisión de cambiar esa situación eres tú.

Ten apertura mental

En el área de las ventas, terreno donde me muevo y al que te invito a recorrer para prosperar, la terquedad es criptonita. Te mata y te castiga, independientemente del talento que tengas o del "yo era, yo tenía" que aún mantengas sobre tus espaldas.

> **El ego juega aquí un papel importante: la gente te puede decir "¿Tú crees que yo, después de haber estudiado en un colegio de tanto prestigio, voy permitir que un don nadie me enseñe?".**

Pero no importa, fluye hasta con las personas hostiles pues si indagas apenas un poco, te darás cuenta de que hablan (o atacan) desde sus propias inseguridades y debilidades.

Para fluir debes cultivar la apertura mental y el desapego a tu propio ego para poder detectar y manejar estratégicamente el ego de los demás. Así que mucha inteligencia emocional y del entorno para alzarte como el mejor vendedor o emprendedor.

Lucha contra los "No puedo"

Desde que tengo memoria le he llevado la contraria a muchos de los que me decían que el camino que tomaba no era el correcto, que mis decisiones eran arriesgadas, que mis inversiones eran locas; y no me da pena decir que me equivoqué un millón de veces y seguramente lo siga haciendo un millón de veces más, pero ¡la vida es una sola!

Y no pienso vivirla aburrido, con temor y morir con las ganas de hacer o intentando lograr cada uno de mis objetivos.

¿Cuántas oportunidades consideras que has dejado pasar en tu vida por no tomar la decisión de intentar otra cosa que no sea la de permanecer, la de mantenerte en la burbuja de lo seguro? Muchas veces juzgamos oportunidades sin tan siquiera darnos el chance de investigar por nuestros propios medios sobre ellas; preferimos repetir como lo que hemos escuchado de personas inconstantes que jamás han logrado finalizar ningún proyecto.

Tanto la persona que dice "No Puedo" como la que dice "Sí Puedo" tienen 100 % de razón: la decisión depende de ti.

Te aconsejo que te des la oportunidad de vivir tu propia experiencia, que dejes de esperar por la "suerte" para que tu vida cambie y que te demuestres la capacidad de lograr todo lo que te propongas, si de verdad te comprometes. Porque todo comienza en la mente y en la actitud.

Pero no te desanimes si en los primeros trabajos que consigas no estás a gusto o no consideras que es lo tuyo. Lo importante en esta etapa inicial es mantener el foco en lo que quieres. Cuando comencé luché contra mi desánimo porque simplemente sabía que no era allí donde iba a crecer, pero debía subsistir sin perder de vista lo que yo quería ser y hacer.

Y en el camino, tomé nota de las experiencias buenas y malas, de los aprendizajes que las personas podían darme conscientemente y hasta sin sospecharlo. Y caminé con mi botija llena de lecciones que sé me iban a servir para las próximas etapas.

Repasa tus 5 NO

A propósito de "tengo el peor trabajo", queja que escucho con demasiada frecuencia entre los inmigrantes latinos, te refiero algunas lecciones que aprendí del libro Inteligencia emocional 2.0, de Travis Bradberry, quien es además cofundador de la consultora estadounidense TalentSmart. De él saqué los 5 NO criminales, capaces de matar el futuro laboral de cualquiera.

En la siguiente tabla los describo con la impresión que generan en los demás (sobre todo en los jefes o personas que pudieran convertirse en tus aliados para subir la cuesta); también expongo la frase antídoto como ejemplo o medidas positivas a tomar. Así que evítalos a toda costa si quieres superarte y superar tu trabajo actual.

NO criminal	Impresión que genera	Frase antídoto o medida
"NO es justo"	Inmadurez, ingenuidad (la vida no suele ser justa). Esconde una acusación imprecisa.	"¿Cómo puedo mejorar?". Pregúntate a ti por qué crees que algo fue injusto. Y mantén una actitud positiva.
"Yo NO lo hago así"	Resistencia al cambio, flojera, falta de adaptación.	"Soy capaz de aprender nuevas maneras de hacer las cosas". Fórmate, no le temas a lo nuevo.
"NO coopera, es un perdedor, no trabaja bien".	Esta frase es un bumerán. Quien no parece hacer equipo eres tú y quedarás además como un intrigante.	"¿En qué puedo apoyarte?". Evita criticar en público. Si alguien es un caso perdido, sus acciones hablarán por él.
"No es mi culpa"	Evasión de responsabilidad, desatención a los resultados.	"Yo lo resuelvo". Todos aman las soluciones. Si fue tu error, asúmelo; si no, haz que los hechos hablen.
"No puedo"	Incapacidad, negativa de hacer algo que te piden.	"Explícame cómo lo hago". Plantea alternativas, como "No podré reunirme, les dejaré mi informe / opinión.

2. Ten y persigue tu visión

Helen Adams Keller fue una famosa escritora y oradora estadounidense que quedó ciega a los diecinueve meses de nacida por una afección que le causó la pérdida de la visión y la audición.

Esta situación no fue impedimento para convertirse en obtener un título universitario y, gracias a su activismo político, ser honrada por el presidente estadounidense Lyndon Johnson con la Medalla Presidencial de la Libertad. Cuando un periodista le preguntó a esta mujer excepcional qué sería peor que nacer ciega y sorda, ella contestó: "Tener vista sin visión".

De nada sirve la vista si careces de visión, esa cualidad mediante la cual tanto las organizaciones como las personas con hambre de futuro plantean los objetivos que desean alcanzar a mediano y largo plazo.

La visión describe la expectativa ideal sobre lo que se espera lograr en un futuro. Pero la visión no involucra solo a las organizaciones y empresas: también es un asunto personal. De hecho, esas grandes empresas y organizaciones lo son porque tuvieron y tienen detrás gente con visión, que estudia su propio presente para adelantarse a los demás y crear estrategias de futuro.

John C. Maxwell, en su bestseller Desarrolle el líder que está en usted, afirma: "Los líderes efectivos tienen una visión de lo que deben realizar. Esa visión llega a ser la energía que hay detrás de cada esfuerzo y la fuerza que les empuja a través de todos los problemas. Con visión, el líder cumple una misión, la multitud se contagia de su espíritu y otros comienzan a levantarse también junto con el líder".

Según este especialista, la visión es "una declaración clara, en un mercado competitivo, de que usted tiene un nicho importante entre todas las voces que claman por clientes. Es su verdadera razón de existir. La visión es la clave para que toda persona conserve el enfoque". Así que sin visión, sin esa perspectiva a futuro de lo que puedes alcanzar, nunca harás realidad el sueño americano y el éxito en la vida general.

Claro, tu visión puede cambiar a lo largo de la vida. Durante mi infancia y adolescencia estuve por completo enfocado en el deporte. Mi papá es fanático del beisbol, lo que me animó para iniciarme en esta disciplina.

Al crecer, incursioné en el básquet y después en el fútbol, en cuyas canchas descubrí mi verdadero talento deportivo. Aunque fui muy buen estudiante, los estudios pasaron a un segundo plano y de los 16 a los 21 años me enfoqué en prepararme para ser futbolista profesional, con el equipo Deportivistas de Chacao (Caracas, Venezuela).

Estuve muy cerca de lograrlo pero, por distintos factores, no alcancé establecerme y descubrí que no podría vivir del fútbol, que no sería un Messi o un Cristiano Ronaldo. Porque siempre fui un convencido de que si nos conformamos con lo bueno, no llegaremos nunca a ser magníficos. No fue fácil aceptarlo, sin embargo. Por muchos años mantuve ese trago amargo, hasta que me apunté a los estudios universitarios.

Cuando tienes una visión precisa, ves en cualquier situación una oportunidad de orientar el timón hacia tu propósito.

Desde entonces me di cuenta de que todo lo que vivimos, cada etapa, toda renuncia y cada conquista, puede sumar a tu favor si es que así lo decides y mantienes tu visión en un gran propósito. La disciplina que cultivé en las canchas y mi afán por cumplir metas y ganar no me llevaron al Barça o al Juventus FC, pero sí me sirvieron luego para concentrarme en los estudios universitarios. Primero en Comunicación Social, sin embargo pronto advertí que esa carrera no me llevaría en camino recto a la visión de prosperidad económica que me había trazado.

> **Así que, con la vista puesta en ese horizonte, toqué una puerta prometedora: la carrera de Administración de Aduanas y Comercio Exterior. Y ¡eureka!**

Allí empecé a encaminarme formalmente en el manejo de las finanzas, las reglas del comercio y las relaciones internacionales, herramientas que avivaron mi pasión por los negocios y mi disposición a incorporar la palabra prosperidad en mi vocabulario habitual.

Y fíjate que me había acercado a esta opción casi por casualidad, a través de mi novia de entonces, quien cursaba esa licenciatura en la Escuela Nacional de Administración y Hacienda Pública.

Define tu visión

Quiero que este libro se convierta en tu página en blanco para escribir tu propia historia de superación. Empecemos por anotar lo siguiente en ella:

- El sueño que he tenido desde niño.
- Tres temores o pensamientos que alguna vez me paralizaron.
- Tres situaciones adversas de mi entorno que superé y cómo lo hice.
- Anota una situación angustiante en el presente: qué apoyos puedes conseguir, qué puedes hacer distinto a lo que has hecho hasta ahora, y por último, qué pensamiento es el más recurrente cuando piensas en esa situación.
- Qué emociones sientes cuando piensas que debes cambiar para adaptarte y tomar por los cachos tu realidad actual.
- Mira desde el lente de la actualidad tus errores y fracasos del pasado. ¿Qué aprendiste de ellos, qué enseñanza sacaste?

3. Todo suma, hasta lo inesperado

Todo suma a tu proyecto de vida si mantienes una actitud de ganador y si practicas conscientemente la serendipia, o el arte de sacar provecho de lo inesperado, como explica el doctor Christian Busch, profesor de la London School of Economics y de la Universidad de Yale, así como conferencista y autor del La mentalidad de la serendipia: el arte y la ciencia de crear buena suerte. Extraigo algunas de sus afirmaciones, que te invito a hacer tuyas:

- No puedes planificarlo todo, por lo que debes estar atento y abierto a los desafíos de eventos emergentes o inéditos.
- Asume la imperfección como parte de la vida. Esta actitud nos hace creativos ante lo inesperado, los errores que podamos cometer o las dificultades imprevistas.
- Aprovecha cualquier encuentro con gente nueva para hallar puntos de conexión; no te conformes con responder "Hola, estoy bien, trabajo como vendedor", da más información de tu pasión, del área que haces de tus hobbys, de dónde trabajas o qué estudiaste. Te aseguro que esto te permite sumar oportunidades.
- La serendipia supone encarar la incertidumbre con un enfoque activo, en vez de pasivo.
- No puedes tener el control de todo, desde cualquier esquina salta la libre. Pero sí puedes mantener una actitud de aprendizaje y apertura. La idea es que "equilibres un sentido de dirección con una apreciación de lo desconocido". Mi decisión de dejar la carrera de Comunicación Social

por la inesperada Administración de Aduanas y Comercio Exterior es un ejemplo de ello, aproveché la oportunidad en una situación imprevista.

- ¿Quién dijo miedo? Ante la incertidumbre, no te paralices. Indaga en tus capacidades, intuición e imaginación para darle la vuelta a la situación y tomar medidas. De allí surgen los grandes saltos.
- Aprecia tus errores, que serán inevitables, como experiencias. La experimentación es la madre de la creatividad, pues nos ayuda a asumir lo que no funcionó como un aprendizaje.
- Piensa más, búscale el sentido a la crisis. Son el punto de inflexión que te estancará o te obligará a moverte hacia adelante.

Pon los puntos sobre tus íes

Mi breve paso por la escuela de Comunicación Social me mostró también el poder de la palabra. En aquel tiempo me inventé juegos con el diccionario que me mantuvieran alineado con mi visión: la idea era buscar términos que comenzaran con una letra en particular y conjugarlos con el objetivo más alto que me hubiera planteado entonces.

Uno de los que más me gustaban eran Los puntos sobre las íes, por su doble significado: me obligaba literalmente a poner el punto en palabras que me empoderaban. Te invito a hacer este juego de palabras, verás cómo te lleva a revisar desde nuestra capacidad interior, hasta el propósito de más largo plazo:

- **Identidad:** saber quién soy y qué quiero.
- **Indagación / Información:** investigar sobre lo que quiero, estudiar, formarme.
- **Idóneo:** cuáles son mis capacidades y herramientas para trazarme un objetivo realista.

- **Ideal:** cuál es mi propósito de largo plazo, sin caer en ideas ilusorias.
- **Innovación:** qué diferencia puedo marcar con lo que hago. ¿Cómo le doy la vuelta a un problema, necesidad o desafío?
- **Inspirador:** ¿eso que hago o que quiero es tan poderoso como para inspirarme e inspirar a los demás?

Como ves, este caso en particular consistió en buscar términos empoderadores que comiencen con í, pronunciarlos y empezarlos a practicar hasta incorporarlos a tu vida cotidiana. ¡También es genial hacer este ejercicio en grupo!

La idea es que te decidas a manejar un lenguaje poderoso y constructivo, pues por el uso esos términos se convertirán a la larga en pensamientos, determinación y comportamientos que te llevarán a cumplir el propósito que te planteaste.

Deja atrás el "Yo era"

"Como yo lo veo, si usted quiere tener el arcoíris tiene que soportar la lluvia",
Dolly Parton

Independiente del background que tú traigas, seas un abogado, un médico o que tengas siete doctorados, si te vas a un país distinto al tuyo a trabajar en la industria del seguro, por ejemplo, eres "un nuevo". Y aquí tomo el término de la jerga militar... ya todos sabemos lo que significa ser "un nuevo" entre los uniformados.

Te lo advierto porque en la mayoría de ocasiones nos toca, como inmigrantes, dejar guardado nuestro título universitario y experiencia profesional para desempeñar labores que nunca imaginamos ejercer.

Ningún trabajo es humillante si sabes lo que quieres y mantienes la vista puesta arriba.

Quizá tengas que hacer labores ajenas a tu oficio o tendrás momentos impensados en tu tierra, pero lo importante es mantener la brújula hacia el norte que te trazaste al momento de arribar con tus maletas en otro país.

Para mantener a raya el ego que te impida descubrir oportunidades y establecer contactos provechosos, te propongo reinventar tus conocimientos y experiencia. Todo lo que sabías hacer anteriormente te va a servir de igual forma, solo tienes que saber darle la vuelta y adaptar tu experticia o know how a la nueva situación. Independientemente de la edad, del background que tengas mantén una actitud abierta a aprender. Porque no se trata tanto del conocimiento u oficio como de la actitud. De dejarte educar y orientar.

Cuando te centras en el "yo era, yo tenía" te paraliza tu ego. ¿Por qué? Porque no te dejas orientar ni educar, lo que dificulta la adaptación y el crecimiento en un nuevo mecanismo de normas, una manera diferente de hacer las cosas, de producir y ganar. Aferrarte a lo que eras o tenías te convierte en un terco más, de esos que abundan por ahí arrastrando los pies.

Así que te sugiero dejar tu ego en la gaveta. En una de mis tantas conferencias me refiero precisamente a desprendernos del ego porque resulta clave para superarnos desde la humildad, de utilizar al máximo nuestros recursos y crear oportunidades en consecuencia.

Fíjate que te digo que lo guardes, no que lo deseches porque también te va a hacer falta en el camino. El ego no es malo o algo negativo cuando lo canalizas adecuadamente. Un ego en su sitio nos garantiza mantener nuestra propia identidad y tomar consciencia de nuestros poderes personales, además de propiciar una autoestima saludable.

Cuando te aferras al "yo era, yo tenía" no podrás avanzar porque te conviertes en una persona terca y necia.

He conocido a muchísimos profesionales que llegan con un gran talento y una extraordinaria experiencia en su país de origen, pero el "yo era yo tenía" no les da ese sentido de humildad que necesitan para ver bien, por ejemplo, que puedes estar ante un joven como yo que ya ha pasado por lo que tú pasaste, que sabe cómo se cuece el cobre aquí y que ha superado muchas dificultades para estar donde estoy.

Su visión, empañada por su ego y todo lo que traen consigo, les impide aceptar las orientaciones que les servirán más de lo que puedan suponer o a acatar los pasos y reglas que estoy sugiriendo para que caminen en firme. Quizá sorteando los baches por los que yo pasé.

¿Que es difícil desprenderse de lo que traes y de tu manera de ver el mundo? ¡Es una resistencia natural, pues estamos ante patrones mentales, huesos duros de roer! Y ellos hacen ciertamente difícil despegarse de lo que traes contigo para abrazar nuevas cosas.

Te confieso el secreto que me ha servido para crecer y mantener los pies en la tierra: asumirme y decirme a mí mismo que soy un pendejo más. Independientemente de lo que traigas contigo o lo que hayas logrado, asume que eres pequeño, que vienes a aprender y a servir. Y solo cuando sea necesario o conveniente, saca el ego de la gaveta y elévate.

Engaveta el ego

- Por más títulos que tengas, asume que no sabes nada del país que elegiste para vivir. Así hayas leído mucho sobre su cultura o lo hayas visitado previamente como turista, en el terreno y el día a día es donde ese país se te irá mostrando poco a poco. Nada más lejos que la realidad que ve un turista y la que vive un inmigrante.
- Disponte a escuchar y a observar siempre. Es la manera más efectiva de detectar patrones, aprender y adaptarte.
- Comienza desde cero. Solo así te convertirás en una esponja y aprenderás todo lo que necesitas para subir de nivel y prosperar. A quien está en el piso solo le toca subir.
- Asume como mantra la frase "Solo sé que no sé nada", atribuida a Sócrates. Si ese sabio dijo eso... ¡qué quedará para nosotros!
- No te compares. Solo disponte a dar todo lo que esté a tu alcance.
- Anota al menos tres nombres de tu radio de acción que admires, pídeles orientación y escucha sus consejos.

Vaya una anécdota para ilustrarte: cuando viajé a una convención de ventas en Las Vegas, con apenas 6 meses en la compañía, fui reconocido por haber quedado como el tercer supervisor en todo el mundo de la empresa, y por lo cual me dieron un trofeo. Por supuesto que mi ego se me elevó a la estratósfera.

Hasta que empecé a conocer a gente de mi edad, de 27 años o menos, con los que estuve en la convención, y que ganaban dos millones al año; ahí fue cuando me dije "¡Tú eres un soberano pendejo!".

Eso te dice que tienes que conocer bien el terreno que pisas antes de creerte la última Coca Cola del desierto. Como yo no conocía la magnitud de todo, cuando recibo el reconocimiento me ufané por lo que podría lograr en tan poco tiempo.

Pero cuando ves los informes o la revista de la empresa, te das cuenta de que hay vendedores de 21, 22 años que producen millones al año para tener ganancias personales de ¡¡seis cifras!!

Hazte pequeño

Mientras más conoces la verdadera dimensión de donde estás parado, más pequeño, más humano te sentirás, te lo digo por experiencia propia.

> **Sentirte pequeño, desnudo y vulnerable te permite apreciar el valor de crecer desde la modestia y de tus valores esenciales, sin poses ni ropajes.**

Si te crees realizado en un momento dado ¿para dónde vas a agarrar? ¡Te quedas estancado! Hacerte pequeño te pone en una actitud mental de "ahora es cuanto me falta".

En el sentido real y figurado, sentirte pequeño te reconecta con la curiosidad insaciable de la infancia, que tiene un mundo por descubrir. Y que no le teme a su propia imaginación.

El empuje para escalar y crecer se consigue de lleno en el piso firme, sólido y promisorio de la humildad. Desde la convicción de que estás por aprenderlo todo y servir a quienes te rodean.

Yo, por tener personalidad tipo A, era una persona egocéntrica, terca, obstinada. Pero un buen día, en una nutritiva conversación con unas de estas personas que admiro y que han llegado mucho más lejos que yo, caí en cuenta de que mi personalidad alfa me había traído muchos problemas en el sistema convencional de trabajo, de modo que cuando me topo con esta oportunidad en Quintero & Partners, me dije ¡baja las orejas y aprende!

Estoy convencido de que cualquier persona, por modesta que sea, puede detectar en su realidad las palancas que le permitirán crecer. Te pongo el ejemplo de los latinos que llegamos a Estados Unidos por la vía legal, es decir, que no entramos por trochas ni nos colamos a todo riesgo por la frontera.

Es este el latino más capacitado o que tuvo un poder adquisitivo relativamente mayor al promedio como para ser beneficiado con una visa, para la que miden muchas cosas antes de otorgarla. El que entra acá legalmente es porque dentro de todo no estaba tan mal en su país.

¿Pero qué ocurre? Muchos latinos capacitados llegan acá y no se adaptan al sistema americano por no entrar en programas de crecimiento, por temas de ego, de no trabajarle a otra persona en lo que no es su profesión, o porque en verdad no aguanta la roncha. Por eso vemos a muchos que se van de un trabajo porque “me hablaron feo”, “me miraron mal”, “me están explotando”, “yo no estudié para venir a hacer esto” y otras muchas frases similares que me hacen ruido a cada rato.

Estar listo para cuando la oportunidad llegue es un trabajo constante y paciente. De permanente alerta y esperar lo inesperado con preparación.

Todo el mundo desea tener un futuro que sea mejor que el presente, en todo los aspectos de la vida. Lo que la mayoría de la gente no termina de percibir es que ese futuro se va a desarrollar de una forma u otra según las decisiones y acciones que realicemos en el aquí y el ahora.

No basta con pensar en que queremos algo mejor en el futuro, es necesario hacer algo en el presente para que el futuro sea mejor. No solo eso, sino que hagamos lo que hagamos en el presente (incluso “nada”) estamos construyendo nuestro futuro, para bien o para mal. La dejadez, la inacción, no afrontar los problemas o postergarlos, ignorar lo que no nos gusta esperando que “desaparezca”, también son formas de construir el futuro, aunque no el futuro que nos gustaría.

En el campo de las inversiones, la mayoría de la gente quiere ser rica en el futuro. Para conseguirlo, o al menos mejorar el nivel de vida, no basta con mantener ese pensamiento ambiguo en la cabeza sino que hay que tomar decisiones en el presente que se materialicen y nos lleven por el camino deseado.

Muchas personas juran merecerse el éxito y la felicidad, ya sea una pareja determinada, un buen empleo o un próspero negocio. Tú no te mereces nada. Nadie se merece nada. Eso está en tu cabeza. Puede sonar una frase fuerte, pero tienes que trabajar para merecerlo. Pensar que te mereces cosas porque sí es una actitud típica de quienes asumen el rol de víctimas, aquellos que creen que el mundo está en deuda con ellos por lo que, sí o sí, los demás o las circunstancias deben obedecer ciegamente a sus deseos.

En caso de no cumplirse estos deseos, caen en la frustración. ¡Asume tu responsabilidad! “No tengo esa pareja porque soy gordo”. Si tu deseo es conquistar a esa persona, ¡decide bajar de peso! Y si aun así no la conquistas, te habrás sentido de todas formas más a gusto contigo mismo frente al espejo, además de la sensación de logro personal y el fortalecimiento de tu voluntad. Todo suma cuando tú decides hacer que algo bueno pase.

Cuídate de los “decreto” mágicos

Para tener un logro hay que construirlo. Con pasión, sudor y corazón. No basta con “decretar” una y mil veces “yo soy próspero” para que la prosperidad te espere sentada en alguna esquina de la vida. Los supuestos decretos son fuegos artificiales, bellos sí pero que finalmente se desvanecen, dejando más decepciones que las supuestas riquezas que prometen. Así que cuídate de estas frases ilusorias y en cambio ¡ponte a trabajar desde allá en lo que quieres!

- "El universo guarda para mí todos sus tesoros". ¡¿?!
- "Yo merezco vivir y disfrutar de la riqueza, el amor y la salud".
- "Yo soy, yo merezco".
- "Decreto mi abundancia ilimitada, porque el universo me lo debe".
- "Soy un imán para la abundancia".

Convengamos en que el Universo guarda "sus tesoros" para nosotros, ahí falta la parte que dice cómo conseguirlos, que es donde nos toca poner un camión de ganas, maña y esfuerzo. Los "decretos" mentales no sirven para nada si no van acompañados de la acción desde una actitud de servicio y de superación personal, con las decisiones, renuncias y esfuerzos que supone.

Si fuera por los "decretos", cualquier dictadorzuelo gozaría de la adoración que el mundo siente por Nelson Mandela con apenas ordenarlo; se puede decretar obediencia, pero no la estima, la admiración o el respeto de la sociedad. Así pasa con todo.

Si asumes la responsabilidad de tu destino, si mantienes tu norte y tomas medidas para avanzar y crecer puedes sobreponerte a cualquier dificultad, por grande que esta sea, no con frases de cuadrito para incautos.

Porque sé el valor del esfuerzo, la roncha que pasé como inmigrante cuando vine acá, me decidí escribir este libro desde mi modesta experiencia. Precisamente me inspiro en ese gigante que fue Mandela, quien salió más sabio y crecido tras 20 años de cárcel, si nos vamos a ejemplos del ilimitado poder del espíritu humano.

Eso es lo que yo llamo "pagar el precio de tu crecimiento". Te doy algunas claves que saqué de mi experiencia al llegar aquí:

Sé fiel a ti

En mis primeros trabajos me pasó que me ponían zancadillas o simplemente tenía roces con los supervisores o colegas por mi personalidad tipo A; es decir, soy proactivo, me gusta tomar la iniciativa y muchas veces esta actitud no encaja con el sistema tradicional, porque te empiezan a ver como competencia, como una amenaza. Y llega la hostilidad.

Si este es tu caso, lo que debes hacer es actuar con cierta diplomacia, mientras encuentras un lugar donde puedas desarrollarte siendo fiel a ti. Ahora bien, si prefieres seguir órdenes, un trabajo de 9 a 5 es lo tuyo. Hazlo lo mejor que puedas. Lo importante es que te sientas a gusto y no te traiciones.

Si tienes éxito...
Si fracasas...
Si eres feliz...
Si estás triste...
Si vives bien...

...es por ti

- Todo comienza y termina en ti
- Si tienes éxito es por ti.
- Si fracasas es por ti.
- Si eres feliz es por ti.
- Si estás triste es por ti.
- Si vives bien es por ti.

Los culpables no existen, tienes que hacerte responsable de tu vida, asume la responsabilidad total sobre ella. Crear una vida extraordinaria depende únicamente de ti.

Hay un libro que releo mucho y que se llama *Dios te quiere rico*. En ese libro el autor habla sobre la fe que tú tienes que tener en ti. Es decir, la fe en Dios pasa primero por creer en ti y tener fe en ti. Ten fe en ti, en tu nombre, en tu marca personal y en tu negocio.

Doy por descontado que para tener fe en ti debes conocerte, haber indagado en tu esencia, en tus valores, en tus sueños y capacidades. En la misión que sabes viniste a cumplir en este mundo, en tu vocación de trascendencia como cada ser humano único e irrepetible.

Lleva lo necesario

El alpinista que sube una montaña lleva solo lo necesario, ropa para abrigarse, lámpara, una brújula, mecheros para encender fuego y mantenerse caliente, los implementos para la subida. De despoja de lo innecesario, de un televisor portátil o de su home theater. Lo hace porque eso no lo ayudará en su ascenso. Al contrario, se convertirá en un estorbo que quizá lo haga fracasar o demorará su subida.

Ocurre igual en su ascenso al éxito. Despójate de lo innecesario, de las distracciones, de lo que no sume.

Jerarquiza lo realmente importante. No se obtienen resultados extraordinarios haciendo esfuerzos corrientes, sencillamente las decisiones que tomes hoy determinarán tu realidad de mañana. Para obtener la tan anhelada "libertad financiera" deberás sacrificar lo que para muchos es vital: fiestas, rumbas, vacaciones, placeres y horas de sueño, pero te garantizo que de esa manera lograrás estar en la cima de esta cadena alimenticia llamada mundo.

Haz lo correcto

El dinero en nuestra industria es únicamente el producto de hacer lo que es correcto. No hay forma legal o moral de hacer grandes cantidades de dinero de una manera "fácil". Huye cuando alguien te haga algún ofrecimiento laboral diciéndote frases como: "Puedes hacerte rico rápidamente", "Acá trabajamos poco y ganamos mucho", "No tienes que trabajar tanto para ganar dinero", "Hazte millonario en un mes".

Son cantos de sirena que te alejarán de la orilla firme del trabajo sostenido y creativo. Y suelen cantarlo quienes ofrecen fantasías para aprovecharse de los demás.

John c. Maxwell, en *Desarrolle el líder que está en usted* nos dice: "La integridad nos une interiormente y forja en nosotros un espíritu de contentamiento. No permitirá a nuestros labios violar el corazón. Cuando la integridad sea el árbitro, seremos congruentes; nuestra conducta reflejará nuestras creencias. Nuestras creencias se reflejarán a través nuestro. No habrá discrepancia entre lo que parecemos ser y lo que nuestra familia sabe que somos, ya sea en tiempos de prosperidad o de adversidad. La integridad nos permite predeterminar lo que seremos en tiempos de prueba sin importar las circunstancias, las personas involucradas o los lugares.

La integridad no solo es el árbitro entre dos deseos. Es el factor fundamental que distingue a una persona feliz de un espíritu dividido. Nos libera para ser personas completas, a pesar de lo que surja en el camino".

Otra de las enseñanzas de Maxwell que me gusta plantear como reflexión en mis conferencias, charlas y convenciones es la siguiente: "La integridad no es un hecho dado en la vida de todo ser humano. Es el resultado de autodisciplina, confianza interna, y una decisión de actuar con una honestidad inexorable en todas las situaciones de la vida".

Coincido con él en que, lamentablemente, la firmeza o integridad de carácter es una "cualidad rara" en el mundo que nos tocó vivir. Por ello hago tanto hincapié en el autoconocimiento y la fidelidad hacia lo que eres, pues en esa autoconsciencia hallamos los pilares de nuestra integridad.

Por fortuna, en el área de negocio en el que me muevo, las metas de productividad van aparejadas de una constante formación y reafirmación personal ¡tengo pilas de libros que reparto en cada encuentro o inducción!, además de los números que hablan por sí solos y, sobre todo, de las personas que los conquistan.

Hoy puedo dar fe de que el dinero y la prosperidad en nuestra industria es únicamente el producto de hacer lo que es correcto y que mientras tenga salud y vida seguiré ayudando y brindando la oportunidad a todo aquel que, como yo en su momento, esté en busca de llevar su vida de lo ordinario a lo extraordinario.

Por ello niego la afirmación de este autor que, por demás, releo con frecuencia: "Nuestra cultura ha producido pocos héroes perdurables, pocos modelos de virtud. Nos hemos convertido en una nación de imitadores, pero hay pocos líderes dignos de imitar".

¡No, Maxwell! Creo que sí hay muchos nombres valiosos que podemos anotar en nuestra lista de gentes digna de imitar, pues por cada problema que nos agobia o por cada sueño que abracemos, hay un montón de gente trabajando.

Quiénes te inspiran

Te invito a anotar unos cinco nombres que conozcas y que te inspiren. Puede ser un familiar o un amigo o un jefe a quien estimes por su integridad y su servicio a los demás. Te puedes ayudar con Google, con la condición de que sean personas que se parezcan a lo que tú quieres ser. Yo empiezo con

1. Payal Kadakia, una chica de 27 años que creó en Nueva York una web para ayudar a reservar clases de danza y entrenamiento cuando se le hizo difícil reservar un cupo. Hoy es millonaria con un servicio que comenzó por ella.
2. Y Flavio Augusto, el brasileño que empezó vendiendo cursos de inglés desde el teléfono público de un aeropuerto, porque ¡no tenía teléfono en su casa! Y terminó creando un instituto de inglés para negocios, el Wiser Education, con ventas de más de $100 millones al año (otro detalle es que ¡no sabía ni una jota de inglés!). Te nombro estos porque me conectan con mi pasión de ventas, con su determinación de sobreponerse a las dificultades y con lo que yo soy, pero tú puedes anotar los más afines a ti; aparte de al menos dos conocidos o cercanos que admires mucho.

¿Vender o emprender?

"Como emprendedor debes entender esto: hoy es difícil y mañana lo será aún más, pero después será maravilloso. Si se es emprendedor, hay que creer en el futuro".
Jack Ma, fundador de Alibaba

nte el inmigrante se abren dos rutas a explorar para alcanzar la prosperidad:

- El emprendimiento
- Las ventas

Aunque no son rutas excluyentes y muchas veces van de la mano: todo emprendedor es también un vendedor, ya sea de su producto o servicio, de su reputación. Sin embargo, revisemos con detalle cada una de estas opciones que se despliegan ante tu fututo, y las cuales vale la pena examinar con profundidad para decidir en tu caso la ruta más adecuada al momento de alcanzar la libertad financiera.

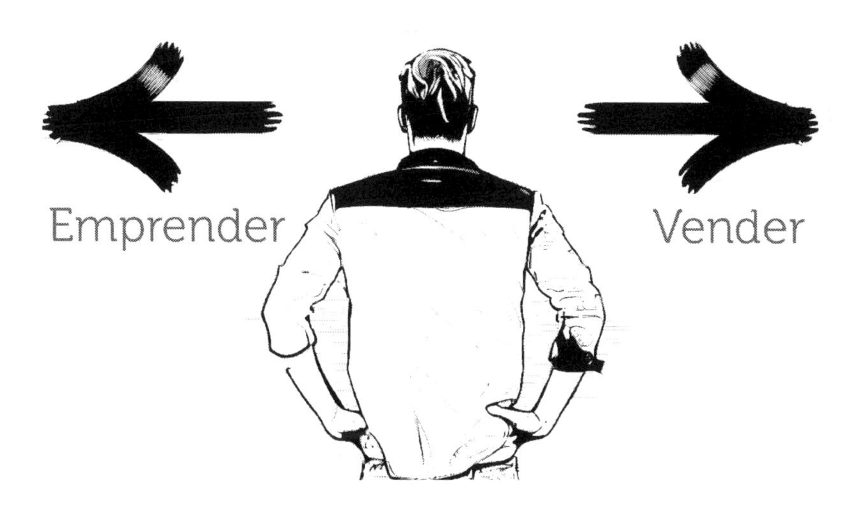

El camino del emprendimiento

Un emprendedor es una persona que diseña, lanza y pone en funcionamiento un negocio partiendo de una idea innovadora o comprando o adquiriendo una idea ya existente. No obstante, cuando llegamos a otro país, muchas veces emprender pasa a un segundo plano porque recurrimos a lo seguro, al salario fijo para pagar las cuentas y sobrevivir. Pero ese salario fijo o ese sueldo seguro pudieran estarte estancando o imposibilitando concretar lo que siempre has soñado, te limita buscar oportunidades de superación a mediano y largo plazo.

Esto pasa sobre todo si el negocio o empleo en el que te desempeñas tiene un cargo límite para ti. ¿A quién no le ha pasado que así tenga un excelente desempeño laboral no puede llegar a más porque hay un techo?

Por ejemplo, el cajero de una empresa de comida rápida es ascendido a supervisor, luego a gerente y después, cuando mucho, a director de la franquicia en determinada región. Pero luego... ¿cuál es el siguiente nivel? El salario que percibe, así sea generoso, no le alcanzará ni por asomo para comprar una franquicia de la compañía, por lo que en el 99 % de los casos nunca será propietario.

Ahora, ¿qué ocurre si el tiempo y esfuerzo que invierte en ese negocio que no le pertenece, se lo dedicara a su emprendimiento? Para ello, por supuesto, debe echar mano de lo que te apasiona hacer (que lo disfrutes mientras lo haces) y de lo que haces bien (tu experticia o capacidad para ser el mejor de tu clase) para impulsarte con una actitud de confianza en ti y en el futuro.

Para que lo veas más claro, tomemos los datos de nuestra cotidianidad cercana: el horario promedio de Miami, que va desde las 8: 50 a. m. a las 4:50 p. m. de lunes a viernes, y cuyo salario por hora es de $ 10. Para generar $ 80 tiene que haber trabajado mínimo 8 horas diarias.

Si multiplicamos, el ingreso total es de $ 400 por semana, al mes entonces estaría generando $ 1600 para sobrevivir. Es decir, casi que está pagando para trabajarle a una persona o una compañía que seguramente está ganando mucho con su tiempo, oficio y talento.

Estos cálculos son una simplificación y no toman en cuenta factores como impuestos, beneficios y otros gastos. Además, la persona está dedicando su tiempo, habilidades y esfuerzo a un trabajo que le paga justo lo mínimo para "sobrevivir", asumiendo que $1600 al mes cubre todas sus necesidades, lo cual podría no ser el caso dependiendo de su situación y ubicación.

¿Qué ocurriría si...

...En vez de entregar esas 8 horas de tu tiempo y trabajo a otra persona o compañía decides ir a un mayorista o a un supermercado y emprender vendiendo un producto de consumo masivo?

Digamos que, para empezar, compras cuatro cajas de 40 botellas de agua mineral y te sitúas en un punto estratégico y muy transitado para vender durante 8 horas cada botella a un dólar más de lo que te costó cada unidad.

Si vendes una caja de agua cada dos horas estarías percibiendo $ 800 al día, multiplica esta suma por los 5 días de la semana y luego por las 4 semanas del mes. Ya estamos hablando de $ 3200 mensuales ¡el doble de lo que ganas trabajando para otra persona! Es la maravilla de las ventas.

Esto es un ejemplo muy básico y lineal, solo para ponerte en la perspectiva mental de lo que significa asumir las riendas en tu camino económico.

No hay ruta fácil hacia la riqueza legítima. La fortaleza financiera reclama mucha más dedicación que la de un empleado, pues estás trabajando por ti y para ti. Ahora la pregunta que de seguro te estarás haciendo en este momento: ¿qué significa ser emprendedor?

- Emprender significa identificar un problema que afecta a uno mismo o a otras personas y pensar en distintas formas de resolverlo.
- Quien sabe qué es el emprendimiento no duda en afirmar que equivale a encontrar y aprovechar las oportunidades ocultas a los demás para obtener resultados positivos.
- El espíritu de emprendimiento ayuda a las personas a crear y desarrollar ideas que pueden ser la base de la innovación y que podrían llevarlas al éxito.
- ¿Eres capaz de hacer lo que te apasiona sin miedo a fallar?
- El emprendedor asume los fracasos como una experimentación, como las ineludibles piedras que nos encontramos en el camino del éxito.
- Las cosas pueden ponerse difíciles en el camino y las puertas pueden cerrarse. En esos momentos complicados es donde el verdadero empresario del futuro se levanta con fuerza y encuentra soluciones para seguir adelante.

¿Tienes madera de emprendedor?

Aparte de una actitud, tolerancia al fracaso, pasión por lo que hace y espíritu de servicio, ser emprendedor reclama una mentalidad de negocios. Te invito a hacerte este pequeño test y responder con el corazón en la mano, que nadie te está viendo ni te va a reprobar. Si aquí gana el sí, tienes las nociones financieras de quien se encarrila por el camino del emprendimiento autónomo. No te angusties si gana el No. Que sirvan estos como interrogantes para comenzar a trabajar en esas nociones.

UN SER PARA LOS NEGOCIOS	SÍ	NO
¿Una persona puede convertirse en una marca?		
¿Te interesa la gestión financiera? ¿Sabes lo que es el punto de equilibrio dentro de los negocios?		
¿Sabes qué es un balance personal y que la contabilidad no solo es asunto de contadores?		
¿Has estudiado tu competencia y tu mercado? ¿Sabes quién domina en tu área de negocios?		
¿Todos vendemos así no seamos vendedores?		

¿Te has preguntado por qué las empresas y marcas invierten tanto en publicidad y relaciones públicas		
¿Crees que la posventa es tan importante como la venta de un servicio producto?		
¿Te has preguntado cómo mejorar lo que haces para marcar una diferencia y resolver una necesidad o problema de tu entorno?		

Quizá piensas que no es el mejor momento para comenzar tu idea de negocio, pero nunca va a existir ese momento perfecto si tú no lo buscas y te lo propones. Es como esas mujeres que esperan el momento perfecto para quedar embarazadas: cuando alcance la estabilidad profesional, cuando tenga una pareja estable, cuando logre una casa propia... Y resulta que entre meta y meta pasa el tiempo y cuando quieren con todas las fuerzas tener un hijo, para la mayoría ya es un poco tarde.

No existe el momento perfecto, sino la decisión que te va a llevar precisamente a poder hacerlo y salir del común denominador de lo que es estar en una zona de un empleo que no te aporta mayores riquezas y satisfacciones.

La vida es tan preciosa como corta, así que cómo quedarse con las dudas sobre qué hubiese ocurrido de haber tomado la decisión de comenzar por ti. Te confieso que yo a mis 29 no quiero que se me pase la vida deshojando la margarita de la prosperidad, para sentarme a los 50, 60 o 70 años a preguntarme qué hubiese ocurrido si en verdad lo hubiese intentado. Y no porque a esa edad no se pueda emprender, pues te he dicho que la edad es solo una excusa.

Seas viejo o seas joven, tu presente es el momento de tomar decisiones que te encaminen a donde siempre has querido.

Lo importante es tener la intuición para saber tu momento y, como te he dicho, cultivar la serendipia para aprovechar la oportunidad en el rico terreno de lo imprevisto.

Por eso debes buscar la forma de emprender desde tu saber hacer y tu pasión. Te digo que hay todo tipo de negocios en lo que puedes experimentar la prosperidad siendo fiel a ti. Yo lo he logrado con mi pasión de vender; luego de tantos años intentándolo, al final logré llegar al punto donde tanto esfuerzo y dedicación dieron resultado para lograr la prosperidad financiera.

Hay empleados que muy dignamente nos atienden y nos sirven, personas que nos estacionan el auto, que nos hacen las comidas, que cuidan nuestros bebés. Eso no nos hace ni menos ni más que nadie.

Habrá muchos que son excepcionales y si en algún momento yo tuviese que hacer alguno de esos trabajos nuevamente no tendría ningún problema en realizarlos ya que forjaron mi carácter y me hicieron ser la persona que hoy soy. Sin embargo, muchas de esas personas no tienen libertad financiera, ni vislumbran la posibilidad de sembrar para sí mismos y sus familias una vida más próspera.

Siguen haciendo ese mismo trabajo toda la vida porque no se han conectado con su lado emprendedor, con sus potencialidades únicas y diferenciadoras. Hay extraordinarios beneficios detrás de lo que es un emprendimiento:

Disfrutar de tu tiempo

Tal vez la primera de ellas puede ser tener la libertad de tiempo, es decir, no tener que cumplir con horarios. Pero eso no quiere decir que no vas a trabajar fuerte; paradójicamente, el emprendedor debe trabajar el triple en el momento en que inicia su negocio para que este pueda tener resultados y obtener beneficios.

No tener jefe

El segundo es la razón de no tener un jefe que rige, organiza y planifica cada uno los eventos de tu negocio, porque por eso estás tomando la decisión de comenzar tu propia marca o emprendimiento.

Libertad financiera

El emprendimiento otorga una mayor libertad financiera que un trabajo convencional. Un salario promedio no te va a permitir tener libertad financiera, ya que estás entregando todo tu talento y trabajo a un tope salarial, por muy bueno que sea.

Hay personas en Estados Unidos que ganan más de $ 100.000 al año y se contentan con eso y llevan un tren de vida que lo consume todo e incluso se endeudan, que tampoco es criticable.

Sin embargo, te aseguro que si al menos el 5 % de esa población que gana más de cien mil dólares al año emprendiera su propio negocio o marca, poniéndole toda su pasión y habilidades, no solo no estaría endeudada, sino que podría generar muchísimo más dinero, creando incluso empleo y riqueza para ellos y los demás.

Revisa tus excusas

Ponemos mil excusas al momento de iniciar un emprendimiento, haciéndolo mucho más difícil de lo que realmente puede llegar a ser si realmente tomamos la decisión de trabajar igual de fuerte, pero por nosotros mismos y no para otra persona o compañía. Hay varias cortinas de humo que la mayoría busca como excusa a la hora de iniciarse el emprendimiento. Revisa la siguiente lista de excusas y pensamientos paralizantes y remarca aquella en la que te sientas reflejado:

- La edad: muy joven o muy mayor.
- La falta de dinero para arrancar / no tengo recursos suficientes.
- No tengo olfato para los negocios / Emprender es cosa de otros.
- Tengo habilidades, pero no sé cómo emplearlas en mi propio negocio / No soy suficientemente experto en eso.
- No se me ocurre una idea que explotar / Ya todo está hecho y dicho.
- No es el mejor momento para comenzar / Mejor espero mi oportunidad.

Muchos nos refugiamos en estos pensamientos que nos impiden dar el primer paso hacia nuestra prosperidad financiera, que contrapongo a la dependencia de un salario. Porque detrás de toda excusa susurra el miedo. Te inventas pretextos porque temes arriesgarte.

Pero te digo algo: el miedo nunca va a desaparecer pues el día que lo haga, ese día estarías muerto. Solo debes aprender a convivir con el miedo y a utilizarlo como el combustible que te llevará a donde quieres llegar.

El camino de las ventas

Yo tuve la fortuna de haber sido vendedor desde que tengo uso de razón. No hice otra cosa en la vida, aparte de jugar fútbol, que no fuera vender. De más joven nunca trabajé para otra persona. Porque desde que estaba en el colegio yo empecé a vender cosas.

La única experiencia laboral que tuve en Venezuela fue por unos meses, cuando dejé el fútbol profesional y seguía en la universidad, me mantenía como comerciante de vender menudencias. Así que a mis 20 años, para no pedirle dinero a mi papá para pagar la universidad Santa María, trabajé en una tienda de una amiga ¡como vendedor!

Luego, ya en Estados Unidos, conocí a una persona que trabajaba en 100 % Comisión. Por supuesto que se trataba de ventas, área en la que siempre me había desempeñado. Al saber que era un producto asequible económicamente para la mayoría de la población, yo me dije "¡Esto era lo que tú estabas esperando!".

El horizonte se me amplió puesto que ya sabía que mis ingresos dependerían de lo que siempre fue mi pasión y desempeño. Se trataba de compañía orientada a la clase media trabajadora, que, a diferencia de clases económicamente más prósperas, toman decisiones más rápidas y pragmáticas.

La gente con dinero es más analítica, tiene más opciones sobre la mesa y, por lo general, es más complicadas a la hora de cerrar negocios.

Todo el mundo, sin excepción, puede ser un gran vendedor. Es que las ventas están en todos los aspectos de la vida. Cuando te enamoras, haces todo lo posible por conquistar a la otra persona, por "venderte" bien ante sus ojos. ¿Quién no logra conquistar a quien le gusta? El que no despliega todos sus encantos y dones con buenas dosis de perseverancia.

> **Cuando asistes a una entrevista de trabajo, te estás vendiendo al reclutador, es decir, le mercadeas tus atributos, tus capacidades para que te "compren" como empleado. El que no se vende bien, es que no convence a otra persona para que lo "compre".**

¿No te ha pasado que te ha gustado alguien y no conquistas ese amor? Simplemente porque no supiste venderte. Porque si al menos salió contigo, vio tu oferta, tenías un rayo de oportunidad. Pero la desaprovechaste. Si no concretaste, fue porque no supiste venderte. Pero si eso no dio resultados, no importa. La experiencia te preparará para una mejor oportunidad.

El exitoso y carismático Jordan Belfort dice en su bestseller *El camino del Lobo* una joya como esta: "Vender es todo en la vida. De hecho, si no vendes, fracasarás. Le vendes a la gente la noción —es decir, la convences— de que tus ideas, tus conceptos o tus productos tienen sentido, así seas un padre o madre que debe convencer a sus hijos de la importancia de que se bañen o hagan su tarea, un profesor que debe hacer lo propio con sus alumnos para que valoren la educación, un abogado defensor que tiene que convencer a un jurado de la inocencia de su cliente, un pastor que debe persuadir a su comunidad de la existencia de Dios, Jesús, Mahoma o Buda o un político ansioso de hacer ver a sus electores los beneficios de que voten en cierto referéndum. En suma, las ventas se aplican a todas las personas y todos los aspectos de la vida, tanto personales como de negocios. Después de todo, en algún momento de nuestra vida todos tenemos que "vendernos" a alguien: a una posible pareja, un futuro patrón, un futuro empleado, una futura primera cita, etcétera".

Si no dominas el inglés o no tienes una licenciatura, ¡busca crecer en ventas! Este es un terreno extraordinario para el crecimiento personal.

Los inversionistas y empresarios exitosos no venden un producto o un servicio, venden una solución. Los solucionadores de problemas miran más allá de los obstáculos y las barreras, ven soluciones y oportunidades. Piensa de forma creativa y visualiza algo mayor cuando la mayoría solo ve la realidad.

Estoy convencido de que a través de la venta tú puedes tener éxito migratorio. Para mí es el camino más seguro, por ello quiero ofrecerte las herramientas para triunfar en esta actividad. Vender es un arte que da más satisfacciones de las que pudieras suponer.

Si tú eres un abogado en Colombia o Venezuela y deseas migrar a Estados Unidos, España o incluso cualquier otro país latinoamericano, las ventas es una estupenda opción. ¿Por qué? Porque todos somos vendedores de servicios, de productos, de sentimientos, de ideas; así seas ingeniero, maestro o abogado.

No podrás ejercer el Derecho en otros países, pero sí que puedes emplear tus tácticas de convencimiento, tu rapidez mental, tu oratoria, tu preparación y el manejo de argumentos para vender. Todos pueden crecer en la industria de las ventas si se proponen a adaptar sus capacidades y herramientas en el fascinante ejercicio de convencer a otros para que nos compren lo que ofrecemos.

Canalízate hacia las ventas

Te invito a pensar en cómo canalizar hacia las ventas tu oficio actual o tu profesión actual, según los conceptos e ideas planteados en el punto que acabamos de repasar. ¿Qué capacidades te ofrece lo que sabes o lo que haces hoy para vender? ¿Capacidad de análisis, de persuasión, facilidad para conectar con otros? Tú sabrás. Imagínate como un vendedor y cómo aplicarías al menos 10 herramientas, conocimientos o fortalezas que domines. Es importante que te sinceres desde un principio con las herramientas que traes para alinear esas capacidades con un oficio o rubro en particular. ¿No dominas aún el inglés? No importa, avasalla con lo que tienes mientras lo vas aprendiendo.

Claves de un vendedor exitoso

"No tengas miedo de renunciar a lo bueno para ir por lo grandioso",
John D. Rockefeller

Cuando a los seis años comencé a estudiar en el colegio, en lugar de darme dinero para comprar el desayuno en la cafetería, mis padres preferían enviarme con la merienda. Veía a los compañeros comprando golosinas... y yo sin dinero. A mí me gustaba mucho el Flips (cereal tostado relleno) de chocolate. Y muchos niños llevaban Flips, así que siempre buscaba la manera de intercambiar lo que yo llevaba por sus golosinas. ¡Y los convencía!

- ¿Acaso no te aburres de comer todos los días Flips de chocolate? Toma esta arepa y mira qué buena está.

¡Era un lince detectando oportunidades! A pesar de que había puestos fijos dentro del aula de clases, los compañeros discutían al regreso del receso por el asiento que les correspondía. Inspirado en las películas y series de televisión donde los personajes que trabajan en una oficina mantienen sobre su escritorio una fotografía de sus familiares, dibujé una "foto" -una hoja de papel donde garabateaba el rostro del compañerito- para que cada compañero la colocara sobre su "escritorio" y pudiera reclamar su territorio.

- ¿Qué hago yo con eso? –me decían al principio. Así que tomé la hoja de papel, la doblé y decía: "¡Es un portarretrato! Tú la colocas en tu puesto y los otros ya saben que ese sitio te pertenece".

¡La mayoría los compraba! Ese es el primer recuerdo que tengo con las ventas. Y estaba en primer grado... Luego me fui "diversificando". En esa época estaba de moda jugar con soldaditos de juguete y yo me los llevaba para sacarlos durante el recreo. Muchos compañeritos me envidiaban porque a la mayoría no les dejaban llevar juguetes a la escuela.

Allí identifiqué una segunda oportunidad: mi colegio estaba justo al lado de un mercado muy popular en Caracas, el Mercado de San Martín, donde una señora gorda atendía una modesta tienda de juguetes, así que le pedí a mi papá que me comprara muchos soldaditos.

Ya había hecho mi "estudio de mercado" completo: sabía que a muchos niños les daban dinero para que compraran su desayuno en el cafetín durante el receso, momento que yo aprovechaba para vender a los soldaditos. ¿Tú qué crees que compraban muchos de aquellos niños? ¿El desayuno o el juguete?

> **Es clave responderse el por qué yo vendo y para qué vendo. Yo empiezo a vender a los 6 años simplemente porque quería tener dinero para comprarme en la cantina de la escuela lo que yo quería. Tan simple como eso.**

Mi tercer "emprendimiento" de ventas durante la primaria fue con Dragon Ball. Aunque yo no sabía dibujar, tenía un vecinito un año mayor que yo que estudiaba en el mismo colegio, con un talento extraordinario para las artes y el dibujo, tanto que hoy es un gran diseñador industrial y sigue siendo mi amigo. Así que le dije que dibujáramos en hojas blancas las figuras de Dragon Ball para que los compañeros los colorearan. Mi socio y yo manejamos nuestro buen dinerito desde entonces.

Desde pequeño fortalecí mi olfato para las ventas. Estuve siempre atento a detectar las necesidades del mercado. Ya en mi adolescencia vendí teléfonos celulares, y de allí en adelante he vendido todo lo que te puedas imaginar ¡menos drogas! Todo lo que sea legal, yo lo he vendido.

Te cuento esto porque quiero resalar tres claves de estas primeras experiencias que, pese a su inocencia, reflejan lecciones que no han perdido vigencia y he confirmado a lo largo de mi trayectoria en las ventas:

1. Identifica tu propósito

"Hoy les digo a ustedes, amigos míos, que a pesar de las dificultades del momento, yo aún tengo un sueño. Es un sueño profundamente arraigado en el sueño americano. Sueño que un día esta nación se levantará y vivirá el verdadero significado de su credo: afirmamos que estas verdades son evidentes, que todos los hombres son creados iguales".

Me supongo que ya sabrás a quien cito. Sí, estas frases integran uno de los fragmentos del histórico discurso pronunciado por Martin Luther King el 28 de agosto de 1963 desde las escalinatas del Monumento a Lincoln; y cuya declamación activó en los días siguientes la conciencia sobre el movimiento de los derechos civiles para los afroestadounidenses de los Estados Unidos.

El activista y pastor baptista estaba claro en un propósito profundo: poner fin a la segregación y a la discriminación racial a través de medios no violentos. Legiones compartían la misma aspiración y de allí la lección a aprender de esta muestra suprema de engagement: la claridad de propósito (para luego comunicarlo a otros e inspirar) sobre por qué hace lo que hace y el impacto tanto individual como colectivo que ese propósito producirá.

Por supuesto que hombres como Martin Luther King no nacen todos los días (dicen que mínimo cada 100 años), pero lo que quiero resaltar aquí es la tremenda fuerza motivadora que puede despertar la visión de un propósito y la profunda determinación personal de luchar para lograrlo. Y para convencer a los demás de que te compren la idea, por sublime o pragmática que sea.

El vendedor que no tiene propósito, abandona.

Para los líderes esto entraña un desafío previo: encontrar su propósito profundo y alinearlo con los objetivos de la organización para tomar decisiones coherentes a ese fin y que el negocio conserve su vigencia en el corto, mediano y largo plazo. Aquellos empleados que compartan ese propósito, permanecerán y estarán abiertos a desplegar su máximo potencial.

Por ello es tan importante lograr la identificación del capital humano con la visión y misión de la marca o de la empresa. Esto aplica por igual a corporaciones y a emprendimientos personales.

La diferencia entre las personas que alcanzan el éxito financiero y los que no, es que ellos tienen muy claro su "¿Por qué?".

Volviendo a mis pinitos comerciales, yo resolví con los "retratos" de mis compañeros el problema de las peleas por los pupitres, ese fue mi propósito. Que se tradujo, claro, en dinero para comprar golosinas. Para un buen vendedor, lo importante es resolver una necesidad, ofrecer una oferta de solución a un problema, satisfacer una querencia. Ya el dinero vendrá por añadidura.

En todo este tiempo me he convencido de que el vendedor es como una puerta que conecta consumidor y producto. Y cuya bisagra tiene dos tornillos:

1. El propósito. Tener un propósito es lo que te permitirá ser exitoso y valorar la industria de las ventas. El propósito es lo que le da sentido a tu venta y el impulso para prosperar. Yo diría más bien varios propósitos: a corto, mediano y largo plazo. Y mantente fiel a ellos.
2. La capacitación. Puedes tener muchas ganas de hacerlo bien y muy bien definido tu propósito, pero si no te capacitas en el manejo de herramientas eficaces para vender, abandonarás en medio de la frustración. Es como el diseñador gráfico que tiene una gran creatividad, pero no sabe cómo exprimir las herramientas que le brindan Photoshop o Illustrator para manejar la imagen como los dioses. Lo más probable es que se quede con sus ideas en la cabeza.

Con propósito, formación y herramientas clave puedes conectar con otros y vender lo que te propongas. Por supuesto que no es tan fácil como se dice, que ya lo estarás pensando, así que te sugiero detenerte en las siguientes recomendaciones.

Advertencias para un propósito

- Si no tienes un propósito firme, no podrás crecer en el mundo de las ventas ni en ningún tipo de emprendimiento. Debes ser una persona que comprenda que para tener lo que pocos tienen, debes hacer el esfuerzo que pocos hacen.
- Yo le digo a quien viene a nuestra empresa una verdad: "Eres dueño de tu propio negocio, porque eres un contratista 10/99; eres dueño de tu propio tiempo porque yo no te puedo poner una advertencia porque llegues tarde". Porque finalmente ¿eres dueño de qué? Adquiriste una licencia, una plataforma, pero sin orientación no vas

a ningún lado. La única forma de que te vaya bien es que desarrolles eso que traes y te esfuerces como un “nuevo”.

- Un vendedor tiene que entender que en ocasiones estará a un paso de la quiebra. Que va a tener un ciclo muy fuerte. Un vendedor no trabaja 8 horas al día. Un vendedor trabaja, mínimo, entre 12 y 14 horas diarias. Quien me conoce sabe que no me gusta adornar las verdades. Nunca le digo a quien aspira a integrar nuestro equipo que esto es fácil o cómodo. Y te aseguro que la mayoría me lo agradece luego. Porque lo que sí le puedo asegurar desde ya es que recompensa de manera constante y sonante la claridad de propósito, el esfuerzo y la determinación de crecer financieramente.
- Es fundamental ganarte la credibilidad y esto se logra cuando tu propósito coincide genuinamente con el propósito de tu empresa o, en nuestro caso, de la plataforma que nos permite desarrollarnos como vendedores. Y apuntar a la eficiencia, que logras con formación constante y captación de las herramientas necesarias para optimizar tus resultados.

2. Crea la oportunidad

En Venezuela creé un negocio de calzados deportivos, una tienda que primero fue física y luego convertí en online. Fui pionero en el país, y lo digo con absoluta propiedad, en el tema de las tiendas online en Instagram. Hasta ese momento, el comercio digital o electrónico en Venezuela se reducía a Mercado Libre y, si acaso, Amazon.

Para la época, en 2012, Instagram no era la extraordinaria plataforma de ventas que es hoy. La gente ni siquiera había empezado a darse cuenta de su poder para las ventas, el posicionamiento de las marcas y el impulso de los influencers.

No obstante, en mi cuenta personal empecé a publicar post de mis productos. Cuando llevaba más de cinco fotos de la mercancía, mis amigos me dejaban de seguir o me insultaban acusándome de "spam". Me arriesgué: creé la cuenta de mis productos y me dije "quien la quiera seguir, que la siga".

Hay demasiadas personas que están pensando en la seguridad en lugar en las oportunidades. Parecen tener más miedo de la vida que de la muerte. Acepta los riesgos, toda la vida no es sino una oportunidad. El hombre que llega más lejos es, generalmente, el que quiere y se atreve.

Cuando creé el perfil para mis productos ¡me empezó a ir de maravillas!, al punto de que emprendí iniciativas de intercambio publicitario, dándoles muestras "gratis" a artistas del espectáculo para que promocionaran en sus propias cuentas mi marca y productos. Desde los influencers exclusivos de Instagram, hasta celebridades locales, como Kerly Ruiz, Servando Primera, Arán de las Casas, Juan Carlos García, Rosmeri Marval, Paula Bevilacqua, Alejandra Sandoval y otras figuras del show business local e incluso de Latinoamérica y Miami.

Solo nosotros tenemos la respuesta a que sea la circunstancia la que determine hacia dónde vamos o, por el contrario, nosotros determinemos la circunstancia.

Las oportunidades no son producto de la casualidad, más bien son el resultado del trabajo.

Esa cuenta me permitió prosperar en lo que me gustaba y con la gente que quería. Cualquiera que le ponga lupa al mercado de aquella época, verá que eran muy contadas las marcas que hacían intercambio publicitario en Instagram. Bien, entre esas pocas marcas que apostaron por esa red social hallarás mi nombre, sobre todo en mi rama de negocio.

Todo reventó en 2013, cuando mi vida da un giro financiero: de ser un simple comerciante, que lo fui desde niño, a conquistar un nivel económico superior. Allí me convertí en una marca. Luego de la tienda, me alcé como distribuidor de mis calzados, enviando al mayor a tiendas de otros estados de Venezuela.

Fue en ese momento que despego de ser revendedor de celulares, relojes y accesorios, a manejar una estructura empresarial con empleados y todo lo que implica una empresa. Sí, ya había levantado mi primera empresa. ¿Qué aprendizaje podemos sacar de este vuelco?

- Que las dificultades y los rechazos apalanquen tu creatividad para ver la oportunidad en donde nadie imaginaba.
- Sacarle el mayor provecho posible a las herramientas con las que cuentas. Inclusive las que no son tan obvias.
- Pegar primero es pegar dos veces. Si logras adelantarte a tus pares, te consolidas dentro de tu área y te conviertes en punto de referencia.
- Apoyarte en la promoción. Tú solo no puedes.
- Disciplina y visión en grande.
- Tomar el tren de la oportunidad estando preparado para detectar opciones y descubrir hallazgos valiosos en lo inesperado.
- Mantenerse alerta y con mente abierta, conectar puntos y visiones distintas.
- Educarte para mantenerte actualizado en tu área. La información es poder.
- No tomar los errores como fracasos sino como una vivificante experimentación.
- Exprimir los escasos recursos con los que cuentes en momento dado. La necesidad es maestra de la inventiva.
- Tener la humildad de asumir los rechazos como alertas y no como ataques personales te llevará a revisar tu manera de replantear las cosas o intentar hacerlas mejor.

El secreto de un buen vendedor

Superadas las primeras dificultades y si mantienes tu foco en lo que quieres, podrás detectar la oportunidad que buscas.

La gran mayoría de las personas viven hablando y buscando la tan anhelada libertad financiera, pero muchos obvian un factor tan igual de importante como es la libertad de locación.

En el momento en el que estoy escribiendo estas líneas, me encuentro exactamente a 4 horas en avión, 3 horas en diferencia de horarios y a 4070 kilómetros de distancia de mi casa y de mi oficina, pero, a pesar de encontrarme lejos, mis negocios siguen moviéndose y girando con un 100 % de efectividad, ya que no ameritan que yo me encuentre físicamente para que eso suceda.

Cuando logras dar en el clavo con tus ventas o empresa, lo que sigue es el crecimiento ¿O es que acaso Steve Jobs se quedó tranquilo después de que la pegó al techo con el iPod? No, siguió intuyendo, curioseando, procesando información para ofrecer soluciones novedosas. Y, de paso, hacerse millonario con ello.

Tener la oportunidad de generar ingresos desde cualquier parte en que te encuentres y disponer del tiempo para poder disfrutar de tus ganancias es lo que hoy realmente podemos llamar calidad de vida.

Sin distracciones digitales

Utiliza tu celular y el internet a tu favor, no permitas que sean ellos quienes te utilicen a ti convirtiéndote simple y únicamente en un consumidor. Hazte las siguientes preguntas:

- ¿Cuantas horas al día pasas en tu celular?
- ¿Cuánto tiempo dedicas a revisar tus redes sociales?
- ¿Cuantas cosas postergas o dejas de hacer porque según tú "no tienes tiempo"?
- ¿Cuánto dinero estás dejando de generar gracias a esas horas que estás perdiendo?
- Si todo ese tiempo que pierdes en social media, juegos o Tik Tok, lo utilizaras en leer un buen libro, escuchar un audiobook, grabar contenido de valor o monetizar a través de un sistema digital ¿piensas que tu vida sería más productiva?

3. Trabaja estratégicamente

Todos contamos con las mismas dos manos, dos piernas, un cerebro. La diferencia radica en cómo los está utilizando esa persona que alcanzó sus metas, y en cómo lo estamos usando nosotros esperando que los cambios lleguen mágicamente.

> **El día tiene las mismas 24 horas para todos, el año dura los mismos 365 días para cada uno de nosotros. La diferencia radica en cómo utilizas tu tiempo para sacarle el máximo provecho a cada hora.**

Un líder, un gran vendedor, fija prioridades. John c. Maxwell ilustró como nadie la importancia de priorizar las cosas en el libro *Desarrolle el líder que está en usted* al que vuelvo mucho y que te sugiero que leas, porque comparto su filosofía:

“No importa cuán duro trabaja, sino cuán inteligentemente trabaja. Le dijeron a un hombre que si trabajaba lo más duro posible podría llegar a ser rico. El trabajo más duro que sabía hacer era cavar hoyos, así que se puso a cavar hoyos enormes en el patio de su casa. No se hizo rico; lo único que ganó fue un dolor de espalda. Trabajó duro, pero trabajó sin prioridades”.

La estrategia es una forma de expresar qué queremos hacer, cómo lo queremos hacer y cómo vamos a estar en el futuro. Es una herramienta de gestión que marca la diferencia entre sucumbir empleando de forma equivocada los recursos, o conseguir salir a flote y sacar el máximo provecho de la situación actual o de un problema.

El dinero no se gana trabajando duro, se gana pensando, si se ganara trabajando duro los que cargan ladrillos y escombros serían millonarios. Sin una estrategia estamos a merced del entorno, con una estrategia podemos fijar el rumbo hacia dónde dirigirnos y poder actuar, otra cosa es que en estos momentos "no estamos ante una época de cambios, sino ante un cambio de época" que nos puede y debe hacer reaccionar.

Estrategia es pensar, echarle materia gris a nuestro propósito para tomar las decisiones correctas y crear las oportunidades donde otros ven escollos o excusas. Ya lo decía Jack Ma, fundador de Alibaba: "Cuando eres pequeño tienes que enfocarte en tu cerebro, no en tu fuerza". ¿Qué emprendedor no empieza desde su propia vulnerabilidad y pequeñez? Pero el éxito solo les toca la puerta a los que piensan y actúan.

Diseña tu estrategia

- **Concéntrate.** Siéntate en un lugar donde no te molesten y diseña tu estrategia.
- **Planifica cada paso.** Y haz un inventario de las herramientas con las que cuentas.
- **Anota los factores de riesgo.** Y utilízalos como fortalezas para llegar a tu cometido. Recuerda, el cementerio de las oportunidades son las excusas que nos inventamos.
- **Prioriza.** Robert J. McKain dijo: "La razón por la que la mayoría de las metas principales no se alcanzan es porque empleamos nuestro tiempo haciendo primero las cosas secundarias".
- **Una cosa a la vez.** Estoy de acuerdo con empresario Richard Sloma cuando dice que nunca se debe tratar de resolver todos los problemas al mismo tiempo: "Ya sea que usted enfrente tres problemas, treinta o trescientos, "colóquelos en una sola hilera de manera que usted se enfrente con uno solo a la vez". Y resuelve uno a

uno. No tiene que ser en el orden en que los pusiste, si no tienes la respuesta en ese instante. Te aseguro que resolviendo los otros, podrías ver desde otra perspectiva el que suspendiste. Pero es importante que los pongas en negro sobre blanco.

Estoy seguro que con este simple, pero poderoso y demandante ejercicio, empezarás a ver esos cambios positivos que te llevarán al logro que deseas.

Cómo conquistar clientes

"Conviértete en la persona que atraiga los resultados que buscas".

Jim Cathcart

Una de las claves de mi éxito en el mundo de las ventas fue entender que todo negocio o emprendimiento tiene como propósito superior convertirnos en actores valiosos para nuestros clientes, equipo de trabajo y sociedad: no pensemos en lo que podamos ganar con el producto o servicio que ofrecemos, sino en cómo hacer feliz al cliente que lo necesita o espera. Las ganancias vendrán tarde o temprano.

Para decirlo en el lenguaje tan de moda en las redes sociales, "el usuario es el rey", él nos justifica y por él todo lo debemos intentar. En el trayecto empoderamos a otros para que hallen la manera de hacer "su vida importante". Los hechos hablan por sí solos, por ello creo en la magia de la duplicación, que ya te explico...

La magia de la duplicación

Más allá del dinero, me he vuelto un apasionado de la duplicación. Esto es lograr que personas en las mismas condiciones en las que yo comencé, puedan replicar e incluso mejorar mis resultados. Intento con ello ser así un vehículo que permita cambiar la situación y, en general, la vida de los latinos que migramos a este país.

Es muy egoísta tener conocimiento y no compartirlo; y, sin duda alguna, lo que me enamoro de mi profesión es que mientras a más personas puedas beneficiar con lo que haces, sencillamente a ti te irá mejor.

Duplicar es reproducir nuestro propósito en otras personas.

Necesitamos formar un ejército constituido por líderes para trabajar juntos y levantar una mejor sociedad en las próximas décadas, esto significa que las empresas deben aprovechar la oportunidad y las ventajas de cooperar los unos con los otros. De eso se trata, de coincidir con gente que te haga ver cosas que tú no ves, que te enseñe a mirar con otros ojos en este mar de oportunidades llamado vida.

El ambiente puede ser tan poderoso que las personas no trabajan con excelencia por la compañía, sino que lo hacen por ellas mismas, porque su trabajo es el vehículo para satisfacer su propósito de vida. Lo hacen porque esta labor los dignifica y les permite ponerle corazón a lo que dedican la mayoría de las horas de su día, más allá de esperar el pago del sueldo o la bonificación de fin de año.

Sé como el barbero

Me gusta mucho dar el ejemplo del barbero, quien indiscutiblemente es un excelente vendedor desde que tú te sientas en su silla frente al espejo. Allí estarás por 40 o 45 minutos y el barbero en ese espacio de tiempo no te cautiva, tú no regresas.

En cambio, si el barbero empieza con una buena conversación, es amable y busca la manera de complacer la idea que tú quieres del corte, ahí el barbero te vende sus servicios. Y si tú la pasaste bien con el tipo, pagaste satisfecho tus $25 del corte, ahí viene el consejo: el tipo te vendió sus servicios y se ganó un nuevo cliente que te recomendará a otros. El barbero exitoso vende, más que un corte de cabello, una experiencia.

Haz una amplia lista de clientes potenciales

Aunque llames a varios de la lista, eso no quiere decir que todos te vayan a contestar el teléfono, así ellos hayan aplicado a la primera o a la segunda etapa para participar.

Por lo general nadie contesta números desconocidos, así haya aplicado o dejado sus datos previamente. ¿Qué te hace pensar que haciendo 30 o 40 llamadas al día, te van a atender esas 30 o 40 personas?

Sigue las estadísticas del sistema

Se deben hacer entre 150 y 200 llamadas a diario. Eso se resume en 4 o 5 horas de trabajo para que al día siguiente tengas 8 citas; y, de esas 8 citas, apenas te verás con la mitad, porque la otra mitad te va a quedar mal. Y de las 3 o 4 citas que tendrás, vas a cerrar con el 33 %. Finalmente cerrarás negocio con dos personas.

Recuerda que cada persona te dará una ganancia de $1000. Sin embargo, muchos no hacen el número de llamadas pautadas inicialmente y, en consecuencia, no tiene resultados. ¿Qué ha pasado? No es que tuvo un mal día, sino que no respetó las estadísticas del sistema, cuya eficacia ha sido medida y probada una y otra vez. El común de la gente prefiere ir a trabajar a MacDonald´s por $7 la hora. Por ello no queremos el común de la gente, sino personas comprometidas consigo mismas.

Los secretos de "El lobo"

Uno de mis libros de cabecera preferidos es El camino del lobo, de Jordan Belfort, el mismo que inspiró la película El lobo de Wall Street, dirigida en 2013 por Martin Scorsese y protagonizada por Leonardo DiCaprio.

Allí el autor promete convertirte en un gran vendedor siempre y cuando sigas un sistema.

> **Por eso me familiarizo con él, porque cuando se carece de experiencia como vendedor, el primer consejo que doy es seguir un método de comprobada eficacia para tener ventas extraordinarias.**

Yo lo recomiendo tanto que compro los libros por cajas para repartirlos como parte de la inducción en ventas. Cito a los candidatos una hora antes de la reunión para dejarles una hora de lectura en mi presencia. Y todo aquel que lo termina, se queda con el libro. ¡Creo que agoté el libro en Amazon! ¿Por qué es tan importante para mí? Porque te enseña a vender.

Belfort te asegura que la persuasión es la dinamita para vender, cerrar tratos y sobresalir. Este consultor profesional ha marcado mi vida, así como la de millones que han conocido sus estrategias para convertirse en un negociador exitoso, para recuperarte de los malos tiempos y destacar en la comunicación y la negociación. Antes de crear su compañía Stratum, ya había quebrado en dos oportunidades, pero sin duda aprendió de los errores, detectó nuevas alternativas, creó oportunidades para sí mismo, y buscó la manera de servir a otros mientras fortalecía su plataforma personal y de negocios.

> "La persuasión es tu mejor arma: es la clave para vender tus productos o servicios, para cerrar tratos y para destacar entre los demás y defender tus intereses". Jordan Belfort

Probar una y otra vez el método Belfort, con resultados constantes y sonantes, me anima a extraer lo que yo llamo "los secretos del lobo", estrategias que más me han servido y que te invito a seguir, veamos.

"Tres diez", o el cliente como prioridad

En su método, Belfort expone como prioridad estar atento al "Tres diez", esto es una escala de certeza ante un comprador potencial, donde el 1 es una completa incertidumbre de poderle vender, y 10 es una completa certeza de compra.

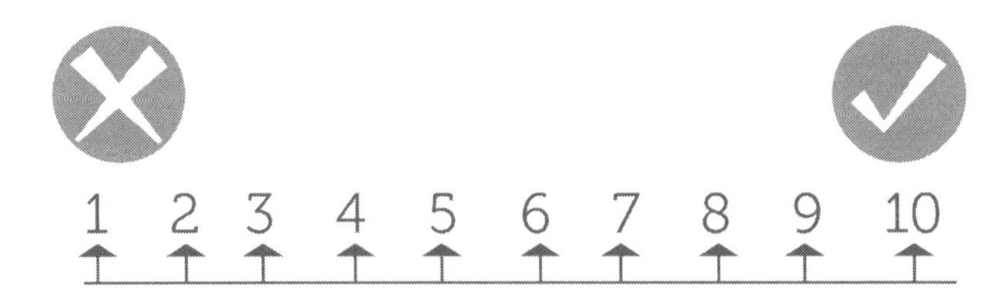

Se trata del valor que le otorga el cliente al producto o servicio que le deseas vender, y a la confianza que tenga en tu nombre y en tu marca o negocio. El 10 es, entonces, la escala de la valoración del cliente sobre estas tres variables:

1. Un producto o servicio útil. Que estime y valore para cubrir una necesidad o resolver un problema.
2. Un vendedor persuasivo y cercano. Como el barbero del que te conté líneas arriba, el vendedor debe conectar genuinamente con el cliente para que crear un lazo de credibilidad y confianza. Si no hay confianza en ti, no hay venta, por mucho el producto, servicio o idea sean tentadores.
3. Tu marca o empresa antes que otras. El cliente debe preferir tu marca o empresa por encima de otras que ofrecen productos, servicios o ideas afines.

De acuerdo con este método, la venta se inicia ante la primera crítica u objeción del potencial cliente. Allí es cuando un verdadero vendedor convierte la duda en oportunidad. Y echa mano de la creatividad para aportar soluciones.

Belfort busca convencernos de que nuestro cliente es nuestra razón de ser, el alfa y el omega de nuestro negocio, prosperidad y resonancia social como marca. Me permitiré reforzar este concepto con las siguientes recomendaciones:

- Alinea tus objetivos con los de tus clientes. Ello te permitirá crear una conexión que sea pasto de la confianza y la fidelidad a largo plazo.
- El cliente habla por ti. Tu norte en las ventas es ofrecer un producto o servicio apreciado por tu cliente. Si sumas esta satisfacción o complacencia a la conexión que estableces, convertirás a tu cliente en el mejor "pregonero" o publicista de tu marca o lo que representas. Una especie de publicidad orgánica de gran eficacia.
- Antes que un producto o servicio, ofrece experiencias. Esto lo han entendido las grandes marcas, como la icónica MarsterCard con su famoso lema "Hay ciertas cosas que el dinero no puede comprar. Para todo lo demás existe MasterCard". Un cliente te amará por siempre si despiertas experiencias emocionales y motivadoras con lo que le ofreces.
- Escucha a tu cliente. Considéralo como el verdadero experto en mercadeo. Las opiniones de los clientes, tanto las positivas como las negativas, son el mejor mapa de ruta para una marca o empresa, pues son ellas las que te indican patrones de las demandas del mercado, si lo estás haciendo bien o no y te aporta indicios para formar y potenciar tu equipo de ventas. Así que escucha siempre lo que te tiene que decir tu consumidor, que es destinatario y juez de lo que le ofreces.
- Demuéstrale a tu cliente que estás allí para cubrirle una necesidad, no para vender.

4 acciones recomendadas

Mientras más incertidumbre, más fácil es vender. Anota las 4 acciones recomendadas por Belfort ante clientes con incertidumbre y críticos; los mejores, pues nos obligan a hurgar en nuestra creatividad y desplegar nuestras herramientas:

1. Ofrece garantía de reembolso. Esto otorga confianza.
2. Otorga un lapso prudencial al cliente, hazle saber que no está obligado y tiene libertad para volver a su decisión inicial.
3. Hazle saber que su satisfacción es tu prioridad y la de tu organización o negocio.
4. Utiliza un lenguaje empoderador, tanto para ti, como para el cliente. Esto lo logras destacando el valor de la experiencia que aportas con tu oferta.

Un cliente en la mira o el sistema de línea recta

Nos lo enseñaron en la secundaria: ¿cuál es la distancia más corta entre dos puntos dentro de un mismo plano? Sí, la línea recta. Un certeza matemática que Belfort aplica a la estrategia de ventas, y que se refiere a mantener al cliente en nuestro radio de acción, lo más cercano posible, para controlar los términos de la transacción o negociación con él.

> Su "sistema de Línea recta", proclama que cualquier acto de venta es universal, independientemente de sus especificidades o dificultades para concretarla.

Y que lo importante para conquistar al cliente es apuntar directamente a él, sin desperdiciar energías en vueltas innecesarias. Con esto no quiero decir que lo vamos a tomar por asalto, al contrario: se trata de centrarnos, de nuevo, en el cliente para persuadirlo con todas nuestras herramientas y cerrar un contrato.

Las claves de este punto es no perder de vista al cliente, pues sus reacciones y requerimientos son los que nos darán las pistas para cerrar una venta, incluso los obstáculos que pone, revertirlos a favor del cierre de la transacción es donde radica la verdadera maestría del vendedor.

Pasos en línea recta

- Acércate al cliente con la genuina intención de ofrecerle lo mejor, porque crees en ello, ¿o no?
- Prepárate con las respuestas a todas las preguntas posibles. Conoce en profundidad el producto que ofreces, como sus ventajas comparativas o su potencial para cubrir una necesidad.
- Es importante que también hables de las posibles debilidades del producto o servicio; esta sinceridad se agradece y genera confianza.
- Mantén la empatía. Ponerse en los zapatos del cliente es la mejor manera de entenderlo y conectar con él.
- Sé lo más natural posible. A nadie le gusta que le estén repitiendo una cartilla de ventas. Trata de conocerlo previamente con preguntas sencillas que te den luces de lo que necesita.
- Recuerda que estás vendiendo una experiencia, una solución, una alternativa a un problema, más allá del producto o servicio que ofreces.
- Seguir el sistema de línea recta a la venta, supone, paradójicamente, no "atacar" directamente al cliente con tu oferta. Se trata de no perderlo de vista y de aprovechar hasta sus negativas para captar lo que quiere para cerrar la transacción. Y garantizar a la larga su fidelización.

Para captar al cliente

- Las ventas de prospección suponen emplear técnicas muy refinadas para lograr captar lo más pronto posible al cliente o comprador. Te sugiero las siguientes prácticas:
- Mantente vigilante a las debilidades o errores de prospección para depurar la gestión de reclutamiento. Para ello debes anotar lo que no salió como querías y por qué.
- La información es poder. Mientras más conozcas a tu potencial comprador, más rápido podrás convencerlo a llegar a un acuerdo o compra. Así que investiga previamente todo lo que puedas, y por todos los medios, al cliente que tienes en la mira.
- Identifica las desventajas de no estar en tu negocio o comprar tu producto. Ello te dará argumentos para superar el estado actual de cosas y motivar con mayor firmeza a tus prospectos, clientes o compradores.

La importancia de la primera impresión

Muchos aspirantes a quienes he entrevistado para un empleo han perdido la oportunidad de que yo los tome en serio porque han venido vestidos con gorra deportiva y zapatos de goma. Se están vendiendo mal porque no se prepararon adecuadamente para impresionar.

> **La preparación previa y la capacidad de anticiparte a las reacciones del otro es lo que te hace un buen vendedor.**

Como en el amor, la primera impresión es clave en las ventas, dice Belfort en uno de los capítulos de su bestseller. Y nos da cuatro segundos para convencer efectivamente al cliente durante la presentación de nuestro producto u oferta. Para ello, plantea 3 sugerencias clave, que yo aliño con mi propia experiencia de décadas en esto de encantar, convencer y vender:

- No eres un vendedor, eres un aliado que ofrece respuestas y cubres una necesidad. Y eso tienes que darlo a entender desde la entrada.
- Nadie le compra nada a un vendedor desganado. Debes crear alrededor de ti una onda u órbita de entusiasmo y atraer al cliente a ella.
- Tú eres el experto en tu producto y tienes que demostrarlo desde el principio. Si hablas con autoridad sobre tu pro-

ducto y tu industria, te ganarás el respeto y la confianza del comprador.

- Cuida tu lenguaje corporal. Belfort le da la importancia que tiene al lenguaje de los gestos, el tono de voz y la dicción. Puedes decir misa, pero si no lo dices con tu cuerpo, en un tono de voz adecuado y una impecable dicción, el potencial cliente no te creerá ni el Padre nuestro y se irá para la misa de al lado.

Aprende a comunicar

A propósito de estos 4 segundos que tenemos para causarle una buena impresión al cliente, según Belfort, quiero extenderme en el enorme poder de la comunicación eficaz, un práctica que puede cultivarse y que incluso recomiendo en nuestras sesiones de formación e inducción para vendedores exitosos.

- Informar no es comunicar. La comunicación eficaz es envolvente y cautivadora, porque genera emociones en el otro al punto de que puede llevar a tomar decisiones.
- La información es estática o neutra. La comunicación genuina fluye, energiza y genera acciones.
- Cualquiera puede informar, como un jefe que da las instrucciones a través de un correo o grupo de trabajo de WhatsApp; mientras que el líder comunica con claridad y motiva a la acción.
- Un buen vendedor convence, no empuja. Para ello, debe tener claro que en su gestión de venta comunica con el propósito de: ofrecer un servicio, generar un impacto positivo en el cliente, trascender al ser parte de la solución de un problema o necesidad.

Emociones y lenguaje en positivo

No podrás vender nada si no estás emocionalmente conectado con tu cliente. Algunos de los consejos que recalco del método Belfort aluden al estado emocional durante la gestión de ventas y la importancia de crear pensamientos positivos a través de un lenguaje directo y potenciador. Sí en las ventas aplica la programación neurolingüística o PNL, enfoque de comunicación creado en 1970 por Richard Bandler y John Grinderse.

Emociones "virales"

Como el bostezo, los estados emocionales se contagian. Veamos cuáles son las más "virales".

- Positividad. Mantén a raya las emociones discordantes, negativas o tóxicas.
- Afabilidad. Para acercarte y abrir incluso las mentes más cerradas.
- Templanza. Ante un no, no dejes que la decepción, la ira o la tristeza te dominen.
- Sonrisa. Sonríe siempre. Los pensamientos y emociones positivos suelen aflorar en una sonrisa. La sonrisa es la llave para iniciar una conversación, pues transmite alegría, comprensión y gentileza.
- Claridad. Que otorga la elocuencia para convencer. No entusiasmarás a nadie con regodeos y con un mensaje enredado u oscuro.
- Confianza. De hecho, es el mejor pegamento de las relaciones.

- Seguridad. Muestra seguridad en lo que dices, tanto verbalmente, como corporalmente.
- Firmeza. Tú más que nadie conoce tu producto o servicio, muestra firmeza al ofertarlo, después de todo, estás por cubrir una necesidad o aportar una solución. Sin ruegos.
- Apertura. Si escuchas las razones del comprador, aumentas la posibilidad de que este escuche las tuyas.
- Sinceridad. Decir los pros y contras atrae poderosamente al más desconfiado.

La PLN es ideal para dosificar las emociones a favor de tu propósito de ventas. Yo lo resumo en tres claves:

1. Administra tu estado emocional según el desafío que vas a enfrentar. ¿Un cliente nuevo u hostil? Ármate de confianza, paciencia y previsión, por ejemplo.
2. Define y céntrate en las emociones que te energicen más, aquellas donde te sientas seguro y confiado. Pueden ser recuerdos de un gran logro, ¿Cómo te sentiste entonces? Hurga en ello y trata de revivir ese estado emocional que te fortalece.
3. Crea una frase relacionada con aquella emoción o recuerdo positivo y potenciador y repítetela. Sin que te des cuente, irás creando un patrón mental de confianza y seguridad en ti.

La importancia del lenguaje no verbal

Es de mucha importancia al lenguaje corporal o no verbal en una gestión de venta o prospección. ¿Por qué? Porque, incluso más que las palabras, los gestos conscientes o inconscientes revelan las emociones e intenciones verdaderas de una persona. Así que destaco los gestos más importantes:

- Contacto visual. Ni mirar para los lados por aburrimiento, ni mirar fijamente como desafío, para algunos una mirada prolongada puede significar que se está mintiendo. Así que sé lo más natural posible y haz contacto visual siempre que sea necesario.
- Escucha activamente. Con los gestos correspondientes a la comunicación distendida pero atenta. Habla y deja hablar, responde y repregunta de ser necesario.
- Asiente con la cabeza. Es un gesto que generalmente significa interés, acuerdo y cercanía.

- Abre tus manos. Es un gesto universalmente atribuido a la autenticidad y honestidad, pues denota que no ocultas nada.
- Une las puntas de tus dedos. Solo cuando necesites demostrar autoridad en lo que estás planteando, sobre todo en una gestión de prospección. Dosifícalo, pues si lo haces con demasiada frecuencia, podrían percibirte como arrogante.

- Tus pies al nivel de tus hombros. Separa tus pies a la altura de los hombros y muestra tus brazos ligeramente abiertos para demostrar sinceridad. Seguro conoces una de las estampas más famosas de Jesús, con los brazos semiabiertos y donde enseña las palmas ¿por qué crees que cautiva tanto?
- Emula el lenguaje de tu interlocutor. Cuando se entra en confianza, solemos emular las posturas de nuestro interlocutor y viceversa. Eso quiere decir que ¡la comunicación está fluyendo!
- Adelanta un pie. Según los expertos en lenguaje corporal, cuando tu pie está adelantado en dirección a la persona con la que conversas, quiere decir que estás interesado en ella e invitas a mantener la conexión.

El valor de tu propuesta

El profesionalismo de tu propuesta es vital en un cierre de ventas, de conversión de cliente o prospección.

Dedícate a construirla minuciosamente, en base a la información de tu producto o servicio y, sobre todo, de la de tu cliente potencial o prospecto. He aquí las 8 claves para marcar la diferencia:

1. Una buena sinopsis, que resuma la esencia de lo que ofreces.
2. Concéntrate en las ventajas del producto, servicio o negocio. Ya tendrás tiempo para informar las características al detalle.

3. Dilo naturalmente. Respeta los descansos necesarios para no aburrir con tu exposición y habla lo más naturalmente posible.

4. Fluidez y seguridad. Esto tiene que ver con un punto anterior: si sabes de lo que hables, todo fluirá genuinamente.

5. Honestidad por encima de todo. Si tienes fe en lo que ofreces, ganará la honestidad y la ética.

6. Suma siempre, ofrece valor. Para Belfort, las ventajas de tu negocio o producto deben superar cualquier esfuerzo de inversión empleado.

7. Haz guiones. Prepara sinopsis de acuerdo a las demandas y características de tu público objetivo.

Por qué fracasa un vendedor

"El fracaso es una gran oportunidad para empezar otra vez con más inteligencia",
Henry Ford

1. No sigue un sistema o método

Siempre estuve orientado al deporte, por lo que desde niño fui una persona bastante disciplinada. El deporte te enseña el valor de la disciplina, y desde los seis años asumí el tema de la responsabilidad como un principio de vida, cumpliendo los entrenamientos a determinadas hora y días.

Desde mi experiencia personal, pude obtener dos importantes conclusiones que lograron devolverme a mi centro y darme cuenta de que el éxito tiene una dimensión más simple y profunda de lo que pensamos: el éxito, más que un fin, es el resultado natural de un buen trabajo personal, que nace y se construye desde nosotros mismos. Desde la disciplina consciente y perseverante.

> **Muchas personas no asumen con responsabilidad su labor, y la falta de disciplina las lleva al fracaso.**

Organizaciones como la que hoy lidero ofrecen educación continua y espacios formativos sobre ventas, pero muchos no asisten a las reuniones de capacitación. La idea no es advertir o amonestar, sino medir el compromiso expresado en puntualidad, asistencia, llamadas y reportes sobre la actividad. Quien no sigue, se va descartando a sí mismo. A esa persona no la tomaré en cuenta porque no pondré en ella la inversión y mi esfuerzo en conseguir los clientes que debe atender y conquistar. Confiaré los clientes en una persona dispuesta a adaptarse y a hacer su trabajo.

Como habrás advertido, lo que cuenta es la determinación y la voluntad de hacer bien las cosas. Esa es la verdadera polea del éxito. Obviamente yo te capacito, te entreno para convertirte en una persona que puede vender; pero quien no asiste al entrenamiento, quien no llama ni cumple, le irá mal aquí y en cualquier parte. ¿Por qué? Por no seguir el método, por no asumir con una actitud positiva y constructiva un sistema que lo beneficiará si lo decide.

Receta para la disciplina

- 1 kg de compromiso. Contigo mismo y con los objetivos que te planteas como meta de corto, mediano y largo plazo.
- 500 g de autocontrol. Para no dispersarte ante cualquier elemento distractor.
- 500 g de concentración. Que te centrará en lo que quieres.
- 500 g de organización. Para coordinar todo y encauzarlo a lo que te propones.
- 2 kg de actitud. Tú eres el responsable de ti, y de tu actitud dependerá tu superación o estancamiento.
- 1 kg de fuerza de voluntad. Para crear y consolidar hábitos que te lleven a tu objetivo. Y por supuesto, desechar los que te alejen.
- 1 pizca de ingenio y astucia.

Para ser metódico

Ser metódico para una persona que no lo ha sido nunca o que es muy dispersa, es algo difícil pero no imposible. A mí me ayudó mucho el deporte durante mi infancia y adolescencia, pero nunca es tarde para crear métodos virtuosos para tu vida. Te propongo el siguiente ejercicio:

- **Evita la tentación.** Identifica tu mayor "placer culposo" y lucha para no caer en él. ¿Las redes, el cigarrillo, el chocolate, el celular? Cualquiera que sea, disponte a distanciarte gradualmente de esas tentaciones hasta lograrlo. No que renuncias, la idea es que tú las domines, no que ellas te dominen a ti.

- **Anota lo que quieres y haz un plan para alcanzarlo.** Puedes fijarte metas a corto, mediano y largo plazo. Que sean tangibles y alcanzables. Eso sí, trata por todos los medios de cumplirlas. Organízate y comprométete contigo. Ah, y anótalas, sea en tu ordenador, móvil o en una agenda física.
- **Persevera.** Haz de lo que quieres lograr, una rutina. Gota a gota hasta romper el cántaro de la desorganización y el extravío de propósitos. El hábito hace la voluntad.
- **Date un gusto después de un gran esfuerzo.** Es parte de la vida. Hasta puedes, de vez en cuando, volver al placer culposo que anotaste al principio, pero ya conscientemente. Y con autocontrol.

2. No está dispuesto a aprender

Desde temprano, desde muy niño incluso, me involucré en el mundo de los negocios y de emprendimientos de pequeños comerciantes. Esa precocidad en los negocios, sin embargo, no disminuyó mi afán de educarme.

Siempre he sido partidario de la excelencia educativa, de la formación propia, así que mezclé el valor de la disciplina deportiva, mi experiencia en los negocios, con mi convicción de que sin educación o formación no llegamos lejos.

No todas las personas nacen aprendidas, ni todos vienen con los mismos dones. Pero creo fielmente que a pesar de que la curva de aprendizaje de cada ser humano es distinta, en algunas ocasiones más rápida y en otras más lentas, todos podemos llegar a cumplir los objetivos siempre y cuando seamos consistentes en nuestro proceso de aprendizaje y tengamos la disposición de superarnos.

Una vez a John C. Maxwell le solicitaron en una conferencia unas recomendaciones básicas para cambiar de actitud y alcanzar el éxito. Esta fue su respuesta:

- Diga las palabras correctas.
- Lea los libros correctos.
- Escuche las cintas correctas.
- Reúnase con las personas correctas.
- Haga las cosas correctas.
- Ore la oración correcta.

Esta sabia respuesta nos da pie para identificar y explorar qué fuentes utilizar para un constante proceso de aprendizaje.

Del mundo

No necesitas un diploma para ser un empresario, pero sí lo necesitas para trabajar por ti y por tu propia formación. Y te digo esto para confesarte que definitivamente mis mejores clases no las recibí en el colegio o en alguna de las dos universidades en las que tuve la oportunidad de estudiar: he aprendido más en la "calle" que en cualquier salón de clases.

> **Aprendí muchísimo de mi familia paterna que en su mayoría se dedicaba al comercio: también tuve como ejemplo al dueño de la tienda ubicada justo al frente de mi casa.**

Él se levantaba muy temprano todos los días para ir hasta el mercado de mayoristas a comprar los productos y luego venderlos a un costo mucho mayor en su negocio, el cual quedaba justo en su propia casa. Créanme que no se imaginan cuánto dinero producía el señor Trino, que en paz descanse.

Todo esto avivó en mí desde muy joven la chispa por las ventas (no tienes ni idea de todo lo que he vendido desde que tengo memoria) y hoy en día, al ver los resultados obtenidos gracias a ese talento desarrollado en la calle de una manera "informal", me reafirma que tomé la decisión correcta al inclinarme por esta profesión sin título.

¿Qué estás esperando para entender que el mundo cambió y que te está empujando a que tú también cambies? Si no te adaptas a las circunstancias y evolucionas mentalmente, vivirás en un estancamiento permanente.

Cualquiera que sea el tema de tu interés, te recomiendo que leas e investigues sobre él, seguramente desde la última vez que lo hiciste ya habrá cambios y evolución. En ese momento te darás cuenta de que nunca puedes parar de educarte. A propósito, me encanta una frase de Albert Einstein: "Todos somos muy ignorantes. Lo que ocurre es que no todos ignoramos las mismas cosas".

Resulta que el genio que desveló nada más y nada menos que algunos de los secretos más grandes del Universo, se sabía un ignorante, como todos. Así que nunca termines de aprender, que estás a años luz de ser un sabelotodo. Y es saludable que así sea. Porque, ciertamente, todos somos ignorantes, a mucha honra...

Fórmate como si fueras a ser cirujano. Si yo quiero un contador, busco un contador; si yo quiero un abogado, busco un abogado; si quiero un entrenador fitness, busco a un especialista en el área del entrenamiento físico.

Ahora, sí tú no eres nada de esto que estoy buscando, yo no voy a buscar el financista en un médico. Lo que quiero decir es que si estás trabajando en ventas, ¡edúcate en eso! Cada cual tiene que formarse en el área que escogió para apalancarse profesionalmente, ganar autoridad en su área y generar ingresos. Y "no ignorar" los secretos y maravillas de las ventas.

¿Tú cerebro está funcionando?

- ¿Buscas a diario educarte en casa sobre algún tema de tu interés?
- ¿Tienes idea de las nuevas tendencias para generar dinero online?
- ¿O solamente estás en casa viendo Netflix y gastando tus ahorros?

De los mejores

Al momento de emprender, ¿a quién le pedirías un consejo? Si en el círculo en el que te encuentras actualmente tú eres la persona mejor posicionada, lamento informarte que estás en el sitio equivocado: busca rodearte siempre de personas que estén en niveles muchos más altos que el tuyo, ellos son los que en verdad pueden sumarte en tus proyectos y crecimiento profesional.

La mejor fuente para aprender son los mejores de cada área. En el sector de los negocios, específicamente en el área de los emprendedores, la figura del mentor está ganando cada vez más espacio.

Sea para comenzar un proyecto o expandir el negocio, los emprendedores inteligentes apuestan por una voz experimentada para obtener los siguientes beneficios:

1. Evitar cometer errores: el emprendedor empieza a conocer más las vivencias de alguien más experimentado lo que le puede llevar a evitar cometer los errores que cometió su mentor.
2. Aumentar su red de contactos: los emprendedores que acceden a realizar una mentoría acaban disponiendo de una red de contactos más amplia, que se convierte en un activo muy positivo y potenciador.
3. Claridad en la hoja de ruta: el mentor ayuda al discípulo a tener una claridad en los objetivos y las estrategias más recomendables y probadas para seguir avanzando en su camino.

Siempre busco motivación en personas que en el pasado no tuvieron nada y alcanzaron el éxito a base de ideas que en su momento parecían algo locas, pero que fueron trabajadas con amor y disciplina. Lo mejor es que el proceso de crecimiento no es individual; he tenido la bendición de poder mostrar la oportunidad a decenas de personas que se han convertido hoy en día en mis socios y aliados en esta aventura que comenzó el día en que decidí dejar los temores atrás y afrontar nuevos retos.

Puedes tener un mentor en cualquier área de tu vida, no necesariamente en los negocios. También conseguimos mentores o guías en el área espiritual, en las relaciones, en la salud y el fitness. Lo importante es tener en cuenta que un mentor, si es bueno, aunque tengas que pagar por acceder a él, no es un gasto de dinero: es una inversión en ti.

> **Cada vez que he dado un paso adelante en la vida y he logrado tener crecimiento personal, profesional o financiero ha sido porque bajé la cabeza, dejé el ego en la gaveta y le pregunté a la persona que estaba donde yo quería estar cómo lo había hecho.**

Ya la mayoría de las cosas están inventadas, pero tendrás éxito cuando logres recopilar lo mejor de cada una de las personas que conoces. Y hasta aprender de los errores o equivocaciones de los que están en lo mismo que tú. Ese es el secreto de la ciencia: reformular las preguntas que otros se hicieron antes.

Emociónate cada vez que veas que a tus amigos les está yendo bien o que están teniendo algún tipo de éxito; sé el primero en felicitarles y preguntarles de qué manera lo hicieron. Una conversación en esta atmósfera de gentileza aporta lecciones insospechadas. Es mucho mejor admirar que envidiar, aparte de que para el segundo es mucho más fácil el camino que para el primero, ya ellos se equivocaron y dejaron evidencias y recursos para que los que vamos atrás no cometamos los mismos errores. Rodéate de gigantes, de gigantes espirituales y no de enanos mentales.

Para aprender de los demás

- Pregúntale a ese amigo o persona que admiras cómo ha hecho para llegar a donde está hoy en día. Seguramente dentro de su respuesta te mencionará que todo lo que hagas debe estar acompañado de constancia y disciplina y compartirá muchos más conocimientos contigo si en verdad es tu amigo, te aprecia y quiere lo mejor para ti. No pases a formar parte de las estadísticas de esas personas que se les pasa la vida entera y nunca tomaron el tren del éxito por razones de miedo o ego.
- Haz una lista de los tres líderes de tu organización, y describe los factores que impulsan su liderazgo.
- Emplea un tiempo a la semana con los tres líderes que mencionaste en la lista, y construye una relación beneficiosa para ambos.

De tu producto o servicio

Hubo momentos donde yo trabajé no solamente en la calle, sino capacitándome: anteriormente había vendido tangibles, bien sea retratos, juguetes, teléfonos celulares o zapatos. Pero nunca había vendido una promesa, que es la esencia de los servicios financieros.

No es la misma capacitación la que necesita una persona que va a tocar las puertas para vender Ollas Prestige por $2500, a que yo vaya a tu casa a venderte un seguro. Yo puedo dejarte un contrato firmado en tu casa; pero hasta que a ti no te pase el primer evento, o hasta que no necesites el dinero o hasta que no te mueras y tenga que pagarte el seguro de vida, ese contrato es un intangible.

Y ahí el vendedor es cuando más que nunca debe estar dispuesto a capacitarse. La capacitación es imprescindible para poder vender un intangible. Conocer el producto o servicio te dará la base para proclamar sus virtudes y ventajas comparativas.

De los libros

Desde que tengo memoria, todos los días me tomo un tiempo para leer, sea un libro, el periódico o una buena revista. Gracias a la lectura me he podido desenvolver y desarrollar en campos e industrias que jamás estudié durante mi etapa universitaria.

Los libros nos facilitan el camino, ya los grandes empresarios y escritores hicieron parte del caminito por nosotros así que siempre muéstrate dispuesto a aprender y crecer. Porque leyendo, como mínimo enriqueces tu vocabulario y tu corrección en lenguaje, por no hablar de la ampliación de tus perspectivas.

No obstante, durante los meses de cuarentena por el coronavirus, veía cómo amigos y conocidos proclamaban por sus redes sociales que habían terminado más de cinco series en Netflix, pero en casi ningún caso publicaron que habían leído un libro.

No descuides el hábito de la lectura. Encárgate tú según tus necesidades de escoger el tema en el cual deseas profundizar. No hay peor defecto que el desconocimiento y la ignorancia en tu área de trabajo; y no hay manera más sencilla de contrarrestarlos que leyendo sobre todo aquello que te pueda interesar.

Te has puesto a pensar y a calcular ¿cuánto tiempo inviertes en tu educación? Tal vez estés cometiendo el error de creer que los estudios se paralizan en el momento que terminas la universidad o culminas cualquier otro ciclo académico. El mundo diariamente está atravesando cambios en todos los sentidos, tanto económicos, sociales, tecnológicos, científicos, políticos y a su vez se generan nuevas tendencias, oportunidades, proyectos y un montón de información, la cual puedes tener a tu alcance solo con un buen uso del internet.

Tiempo para leer

Todos vivimos vidas ocupadas. No esperes el lugar perfecto para leer. Simplemente lee. Ten tu libro siempre contigo. Si estás esperando a alguien, lee. Si estás en el banco, lee. Aprovecha las "pequeñas" pérdidas de tiempo en el día para leer. Es mejor leer dos páginas al día que no leer por meses porque "no tienes tiempo".

3. Se da por vencido ante las dificultades

Al comenzar en esta industria fueron muchas las personas que poco a poco se fueron alejando de mi entorno, juzgando en ocasiones mi pasión por trabajar y aprender algo que hasta el momento era totalmente nuevo para mí. Hoy en día tengo la oportunidad de ayudar y cambiar la vida de cientos de personas "desconocidas" que llegan a mi oficina, tal cual como pude hacer con la mía.

Todo comienzo es complicado, te vas a conseguir un millón de obstáculos que harán que quieras desistir de tu idea inicial, deberás levantarte temprano y acostarte tarde, ser el primero en llegar y el último en irse, estudiar para convertirte un experto en la materia, sacrificar tiempo con tu familia, seguir mientras otros descansan y montón de cosas más.

Te puedo apostar que más difícil que todo lo anterior es soportar humillaciones en tu trabajo, que te paguen una miseria por tu desempeño, no recibir reconocimientos por tu buena labor, saber que no puedes pagar la universidad de tus hijos, tener que endeudarte con tu tarjeta de crédito para poder viajar y tomar unas vacaciones, o pedir dinero prestado a fin de mes para completar para tu renta.

Hay miles de cosas maravillosas al alcance de todos, el problema es que no todos quieren hacer lo que pocos hacen para vivir lo que pocos viven.

Créeme que me encantaría decirte que el camino será fácil, que no te vas a encontrar con obstáculos, que de la noche a la mañana alcanzarás todo lo que quieras y ese montón de mentiras más que todos quisiéramos escuchar y que fueran realidad.

Pero desde que decidí compartir mi proceso me he dado cuenta de que a muchas personas les disgusta mi forma directa y sincera de comunicar. Les pido disculpas por no prestarme para ser un impostor más de esos que abundan, ofreciendo oportunidades y resultados que ni ellos mismos han obtenido.

Grandes hombres confirman la importancia de las lecciones del fracaso en el crecimiento humano y en el éxito individual. Quiero recordarte de nuevo lo que dice el mayor basquetbolista de todos los tiempos, Michael Jordan:

"He fallado más de 9000 tiros en mi carrera. He perdido casi 300 juegos. 26 veces han confiado en mí para tomar el tiro que ganaba el juego y lo he fallado. He fracasado una y otra vez en mi vida y eso es por lo que tengo éxito".

¡Ahí está! Alguien de quien creeríamos que nunca falló, expone las razones de su gran éxito. Y la diferencia en tomar el fracaso como lección o como derrota, es la gratitud que le debemos a poder fallar y poder continuar intentándolo.

Un error, un fracaso, no puede ser un motivo para abandonar, sino más bien un nuevo desafío que afrontar y crecer con ello. Todo depende del tipo de pensamiento que tengas y de tu disposición a bendecir hasta los fallos que inevitablemente vendrán y que te permitirán detenerte para hacer mejor las cosas.

> **"El éxito es la habilidad de ir de fracaso en fracaso sin perder el entusiasmo". Winston Churchill.**

A lo que muchos llaman suerte, yo llamo constancia y trabajo inteligente. Me encanta el trabajo duro y demostrar que la gente está equivocada cuando desiste. En ninguna circunstancia el camino será fácil o cómodo. El 92 % de los millonarios en algún momento han caído en bancarrota por lo menos en dos oportunidades.

La mayoría de los que hoy están en la flamante lista de Forbes tuvo que andar por cuestas empinadas antes de llegar a la cima de su riqueza. Veamos al menos 10 ejemplos, y estos sobran en cualquier área y lugar, que te servirán para inspirarte, pero también para advertirte que la rosa de la prosperidad se hace de rogar con sus espinas. Y que el camino del logro está minado de fracasos aleccionadores.

- J.K. Rowling. La autora de Harry Potter pateó la calle como la que más (era madre soltera) antes de que alguien creyera que ese niño mago podría fascinar a medio planeta. Hoy es una de las mujeres más ricas del Reino Unido
- Jeff Bezos. El fundador y CEO de Amazon es hoy el hombre más rico del mundo. Pero antes de dar en el clavo con Amazon, el fracaso de su empresa zShops le dio más de un dolor de cabeza.
- Arianna Huffington. Seguro te suena el nombre, sí, la fundadora del prestigiosísimo Huffington Post. Llegó a él porque más de 30 casas editoras rechazaron su trabajo.
- Walt Disney. Al rey de la fantasía y los cuentos que nos llenaron la infancia de hadas y personajes fantásticos, alguna vez lo echaron por "falta de imaginación".
- Oprah Winfrey. Una de las mujeres más adoradas y poderosas de Estados Unidos perdió su primer empleo por ¡"involucrarse emocionalmente demasiado en sus historias"!

«Si no te rindes, aún tienes una oportunidad. Rendirse es el mayor de los errores». Jack Ma, fundador de Alibaba.

- Tim Ferriss. Pasó por la negativa de ¡25 editoriales! antes de cautivar a millones de lectores con su bestseller The 4 hour workweek.
- Jay-Z. El carismático rapero tuvo que vender su primer disco en la maleta de su auto, al ser rechazado por las

disqueras. Luego se alzó como "el primer rapero mil millonario" del mundo, según Forbes.

- Jack Ma. Más de 10 empresas rechazaron darle su primer empleo, e intentó 10 veces más entrar a la Universidad de Harvard, sin lograrlo. Finalmente creó Alibaba, el equivalente chino de Amazon, para convertirse en el asiático más rico del mundo.
- Wilson Greatbatch. Inventó nada más y nada menos que el marcapasos... por error. Creía confeccionar un aparato para escuchar el corazón, pero le puso la resistencia que no era, y el milagro se dio: el artefacto no grabó y en cambio empezó a revivir millones de corazones con impulsos eléctricos en los siguientes 60 años y dele.

¿Qué te hace pensar que en el emprendimiento no será igual? Te encontrarás con muchos obstáculos y personas que te tentarán a tirar la toalla. Pero poder obtener resultados extraordinarios tienes que realizar esfuerzos extraordinarios. El fracaso es un gran maestro del que podemos sacar aprendizajes extraordinarios:

- Uno de los gestos de agradecimiento más valiosos y sabios es cuando miramos nuestros fracasos y errores como la oportunidad de un nuevo comienzo y de aprender lecciones.
- La actitud constructiva ante el fracaso o los errores no solo aplica para el plano financiero, de trabajo o académico, sino que atraviesa toda nuestra vida. ¿Acaso cuando tienes un conflicto con tu pareja luego no salen fortalecidos cuando todo se ha aclarado?
- La cultura de aprender del fracaso es el mayor secreto de la revolución tecnológica liderada por la gente de Silicon

Valley: ellos aplauden el fracaso porque les obliga a replantear lo obvio.

- El fracaso, la equivocación y las caídas nos permiten levantarnos. Lo ves en algo tan cercano como cuando un niño aprende a caminar: ¿cuántas veces se cae antes de dar el primer paso en firme?

Aprende de las caídas

Anota en una libreta al menos 5 hechos que consideraste como fracasos y que luego te ayudaron a entender mejor las cosas. Para ello recuerda para ello el dicho que tanto me gusta repetir: Dios escribe derecho sobre líneas torcidas. Te ayudaré con algunos ejemplos que pudieras aplicar a tu caso:

- Te despidieron del trabajo. Pero luego conseguiste un mejor empleo, y el tiempo que tuviste cesante te sirvió para planificar mejor tus pasos. O decidiste emprender un negocio personal.
- Una discusión con tu padre. Que luego se resolvió y ayudó a comprender mejor sus expectativas y exigencias.
- Creíste que el duelo por una ruptura sería permanente. Hasta que la vida te abrió el corazón hacia una mejor persona.

El valor de la constancia

En cada actividad, existe un factor que siempre determina el resultado, y ese es la constancia. En la medida que se tenga una pequeña dosis de esfuerzo frecuente, será la medida con la que se propicie el éxito.

Con tan solo identificar la creencia que no permite avanzar como el miedo a fracasar, se alcanzará vencer a inmovilidad que ese pensamiento produce. "Dios pone las mejores cosas de la vida al otro lado del terror", afirmó el actor norteamericano Will Smith.

Abandonar las metas planteadas es muy común. Solo el 12 % de las personas alcanza las resoluciones que se plantea a principio de año, de acuerdo con el resultado de un estudio del psicólogo Richard Wiseman, de la Universidad de Hertfordshire, en Reino Unido.

Para contrarrestar esta frecuente tendencia es vital contar con la perseverancia y firmeza que atribuye esta valiosa actitud, la constancia.

- Vivir con constancia significa que una vez que se adquiera el reto, se cumpla. Llevar a cabo las ideas, no cambiar de decisión ante el primer obstáculo; es terminar lo que se comienza.
- Que postergar no se convierta en un hábito, no desalentarse ante las dificultades, saber esperar, y mantener el máximo esfuerzo durante el proceso.

- No entender lo que quieres es un problema de conocimiento. No tratar de obtener lo que quieres es un problema de motivación. No lograr lo que quieres es un problema de persistencia.
- Es sabido que salimos de los baches más fuertes y sabios si decidimos aprender de ellos y superarnos. Quien te diga que es tan fácil como suena, te miente. Llegarán crisis, pero recuerda que toda crisis es temporal. Fíjate que ninguna tormenta se convierte en diluvio; si fuera así, Noé no fuera tan famoso.

Que los números hablen por ti

Cuando tienes una actitud de ganador, nadie podrá discriminarte. Porque en la industria de ventas, por ejemplo, y en cualquier área, hablan los números. Puede parecer rudo, pero en ventas le puedes caer mal hasta el gerente y no importa tanto porque este te ve como un número que necesita. Tus cifras son tus argumentos más poderosos, pues hay una relación directa con el dinero, lo que yo llamo un "interés efectivo". Esto me permitió desarrollarme acá y es lo que quiero que entiendas. Encuentra el nicho que te permita desarrollarte al 100 % y los resultados hablarán por ti.

El éxito es un trabajo en equipo

"El talento gana partidos, pero el trabajo en equipo y la inteligencia gana campeonatos"
Michael Jordan

Durante el desarrollo de un partido de futbol sobresalen aquellos jugadores que quizá no sean los mejores técnicamente, pero que arrasan sobre la grama porque dan lo mejor de sí, no se guardan nada, ponen toda la carne en el asador. Entregan el corazón, la garra, las mañas. Uno los observa jugar y queda contagiado de tan efervescente entusiasmo.

El líder constructivo es aquella persona que maneja metas y propósitos claros, y se prepara constantemente para entregar lo mejor de sí dentro de un ecosistema virtuoso de trabajo. Eso conlleva a desarrollarse, entrenarse, asumir nuevas formas de encarar los procesos, conversar con otros aunque ello involucre roces sanos o jalones de oreja a compañeros que no permiten que el tema fluya. Pero no se gana un partido en solitario. Es un trabajo en equipo.

El punto no es el dinero. O al menos no es el único punto. La felicidad no se produce por recibir recompensas. La gente quiere aportar. Sentirse plena y satisfecha en compañía de otros. Y esa satisfacción y plenitud se generan cuando despliega al máximo su potencial y pone sus talentos al servicio de un propósito que en ocasiones va más allá de su propia existencia.

He tenido la oportunidad muchas veces de obtener reconocimientos individuales, pero sin duda alguna los que más me he disfrutado y han llenado como persona son los que hemos ganado como equipo ya que eso implica que no solo fui yo la persona beneficiada, sino que mis compañeros también lograron sus objetivos y tener crecimiento profesional, personal y económico.

En equipo todo es más divertido y el triunfo sabe mejor cuando puedes compartirlo con personas que están en la misma onda que tú. Paul “Bear” Bryant, entrenador de futbol de la Universidad de Alabama, dijo que hay cinco cosas que los miembros de los equipos triunfadores necesitan conocer:

1. Lo que se espera de cada uno.
2. Que cada uno tendrá una oportunidad para desempeñarse.
3. Cómo cada uno está lográndolo.
4. Que se dará guía cuando cada uno lo necesite.
5. Que cada uno será recompensado de acuerdo con su contribución.

Si una persona tarda una hora en realizar una tarea, ¿cuánto tardarían dos? La respuesta matemática sería: "30 minutos". Pero cuando se trabaja en equipo, los esfuerzos de los miembros se potencian, disminuyendo el tiempo de acción y aumentando la eficacia de los resultados.

Esta forma de trabajar, en la que todos los participantes son responsables de las metas, es la más asertiva para cualquier tipo de organización. Esto no solo porque es más fácil cumplir con los objetivos; sino también porque es la mejor manera de retener talento y fomentar un clima laboral envidiable.

La búsqueda de aliados para los negocios no es una tarea fácil. Un buen amigo, un familiar cercano e incluso tu cónyuge son opciones, pero no siempre serán las adecuadas.

Debes considerar que el socio será una persona con quien trabajarás codo a codo semana tras semana y en quien deberás confiar para hacerse cargo de las áreas del negocio encauzadas a un propósito compartido.

Según la revista estadounidense Forbes, las habilidades complementarias, los buenos antecedentes, los sólidos contactos y metas similares son algunas de las características en que todo empresario deberá centrarse al momento de buscar a su "media naranja empresarial".

Ganarme la vida por ayudar a otros a que a su vez generen ingresos y puedan tener un desarrollo personal y profesional no tiene precio. Ver el crecimiento de cada miembro de mi equipo de trabajo me genera una satisfacción indescriptible. Tanto, que es una de las razones por escribir este libro y porque quizá tú lo tengas en tus manos.

No midas tu éxito por cuánto dinero ganas, sino por cuántas vidas cambias. El éxito trata de crear beneficios para todos y disfrutar del proceso. Si te puedes enfocar en eso y adoptar la definición, el éxito es tuyo. Como dijo Ralph Waldo Emerson:

"Confíe en los hombres y ellos serán sinceros con usted; trátelos de manera excelente y ellos serán así mismo excelentes". Las cosas mágicas pasan cuando sales de la zona de confort, pero las cosas maravillosas pasan cuando puedes ayudar a otros a salir de la zona de confort luciendo los siguientes atributos:

Lidera

Atrás quedaron ya los jefes de antaño que ejercían su poder, y que no se preocupaban de motivar ni unían a su equipo. Hemos dado paso a los líderes actuales que hacen crecer a los equipos de trabajo y que consiguen sacar lo mejor de cada uno.

> **Ser un buen líder es una gran responsabilidad, y su labor principal es motivar, cohesionar y resolver posibles incidencias dentro de su equipo, destacando lo positivo y aprendiendo de lo que se pueda considerar negativo.**

Sí, me gusta citar a John c. Maxwell porque comulgo con mucho de lo que dice en su bestseller Desarrolle el líder que está en usted, y me gustaría que tuvieras presente estas palabras tanto como yo: "El liderazgo es influencia. Eso es todo. Nada más, nada menos. Mi proverbio favorito sobre el liderazgo es: El que piensa que dirige y no tiene a nadie siguiéndole, solo está dando un paseo. El líder prominente de cualquier grupo puede descubrirse muy fácilmente. Solo observe a la gente cuando se reúne. Si se decide algo, ¿cuál es la persona cuya opinión parece de mayor valor? ¿A quién observan más cuando se discute un asunto? ¿Con quién se ponen de acuerdo más rápido? Y lo que es más importante: ¿A quién le sigue la gente? Las respuestas a estas preguntas le ayudarán a discernir quién es el verdadero líder de un grupo en particular".

Este autor diferencia al líder de una manera en la que estoy completamente de acuerdo:

- El jefe maneja a sus trabajadores. El líder los capacita.
- El jefe depende de la autoridad. El líder, de la buena voluntad.
- El jefe inspira temor. El líder inspira entusiasmo.
- El jefe dice "yo". El líder dice: "nosotros".
- El jefe arregla la culpa por el fracaso. El líder arregla el fracaso.
- El jefe sabe cómo se hace. El líder muestra cómo se hace.
- El jefe dice "vayan". El líder dice "¡vamos!".

El que un líder disponga las condiciones necesarias para desarrollar al máximo el potencial de los actores que integran el equipo, abre un espacio donde florecer como persona y dejar atrás el convencimiento de que la vida es un molinillo de hámster. Se deja de ser conformista. Genera beneficios espirituales, aunque no en términos religiosos.

El liderazgo genuino y a lo se apunta hoy es que la gente entienda que en su labor puede expandir su talento, desafiar sus propias limitaciones y aportar con sus ideas. Eso inviste de dignidad por sobre el "siéntese en este escritorio y cumpla con tales labores". Es mostrar lo que realmente se es, con sus aciertos, errores y la posibilidad de equivocarse y aprender.

Y esos miembros del equipo reaccionarán de tal forma solo cuando se sientan cuidadas, valoradas y tenidas en cuenta. Deben saber que su trabajo hace una diferencia y estar conscientes de que agregan valor. Cuando su líder les exige, entienden que es porque él confía en su potencial para contribuir a alcanzar las metas de la organización. Reconocen que se esperan resultados excelentes de su desempeño porque son capaces de lograrlos. Solo así le encontrarán sentido a su trabajo. Y a su vida.

Así actúa quien se sabe apreciado y en el espacio y con las condiciones dadas para exponer sin temores su esencia. ese tesoro envuelto en una burbuja capaz de romperse ante un movimiento brusco.

Tal es la base que cimenta el concepto de Servant leadership, propuesto por el investigador norteamericano Robert K. Greenleaf cuando, ante la sospecha de que el estilo de liderazgo centrado en el poder tan prominente en las instituciones de los Estados Unidos no funcionaba, fundó el Greenleaf Center for Servant Leadership.

Acá desplegó una visión del liderazgo que prioriza las preocupaciones de los colaboradores, alienta la empatía hacia ellos y el desarrollo de su potencial, poniendo sus necesidades por delante de las del líder. Greenleaf confiaba que en las organizaciones que aplican las siguientes nociones del Servant leadership podrían cambiar el mundo:

- Valorar opiniones diversas.
- Cultivar una cultura de confianza.
- Desarrollar a otros líderes.
- Ayudar a personas con problemas de la vida.

- Alentar y acompañar.
- Pensar a largo plazo.
- Obrar con humanidad.

Reconocerse como un servidor no es preparar el café y distribuirlo en tazas entre los empleados o poner el teléfono celular a la orden para cualquier llamada. Aunque tales acciones no estén de más, no se trata de servir a las personas como tal, sino actuar en función del bien común a través de esa persona, concentrarse en desplegar las destrezas de los miembros de la organización, conocer cuáles herramientas necesitan para desempeñar mejor su trabajo y consultarles qué hacer para facilitarles la consecución de su labor.

Inspira

Más allá de las remuneraciones económicas, a las nuevas generaciones las motiva el propósito. Sé de organizaciones en el área de informática cuyo personal renuncia para emplearse en empresas rivales a cambio de una mínima diferencia de salario. ¿Por qué ese joven salta de un empleo a otro? No porque pertenezca, como algunos acusan, a una generación marcada por la falta de compromiso.

Esa alta rotación muestra un problema de inspiración y un modelo de gerencia obsoleto que no entera a sus empleados del valor que la organización ofrece.

Bien sea por falta de información o por comodidad, algunas personas en mandos superiores no se preocupan en inspirar y se escudan en frases de cajón como "yo no puedo motivar a nadie, las personas se motivan solas", como si el clima organizacional se apoyara exclusivamente sobre los pilares de la motivación. La gente se conecta en el fondo cuando entiende que puede servir.

El propósito inspira a partir de esa línea de pensamiento: para qué y cómo servir. Y a todos, sin excepción, nos encanta sentirnos útiles, valiosos y valorados. Ya sea facilitar las condiciones de transporte, elaborar zapatos de calidad o ayudar a disminuir el hambre en el mundo. Ese es el propósito.

Pero si escuetamente se le indica al empleado que se siente frente al computador, abra un documento de Excel y realice su trabajo de contabilidad, no hay espacio para la inspiración. El interés se enfoca en el hacer como una fase meramente operativa y no en una preciosa oportunidad para desplegar valores y principios que generen engagement.

¿Por qué lo hace? Porque está dispuesto a servir a un propósito superior ¿Por qué esa misma dedicación no se da entre los empleados de muchas organizaciones? ¿Cuál es la diferencia?

¿Cómo inspirar en una fábrica de zapatos cuyo propósito es hacer zapatos?

Si la fabricación de calzados apunta a que los consumidores aprecien la calidad y la belleza del artículo y que haya de por medio principios de excelencia, ese será el propósito que ennoblezca la tarea de coser hebillas y recortar hormas.

Que cada persona que trabaja en la manufactura de un zapato comparta ese propósito de generar un artículo de excelente calidad llevará a obtener mejores resultados financieros, que es uno de los beneficios finales de inspirar con el para qué y el cómo servir.

En el caso de Uber, por citar otro ejemplo, ¿cómo inspirar al conductor para que eleve su trabajo al siguiente nivel, y no se conforme simplemente con recoger a los pasajeros en la dirección concertada para trasladarlos a su destino? Si se le inspira una vocación de servicio y de resolver una necesidad de transporte que mejorará la calidad de vida de los usuarios, ese conductor estará motivado por el "para qué".

Podría pensarse que quienes por vocación participan en organizaciones benéficas y en fundaciones orientadas al servicio, tales como entes sin fines de lucro que luchan por los derechos humanos o la protección a los animales, están más compenetrados con el propósito de la organización.

Pero los únicos buenos propósitos no parten exclusivamente de las actividades benéficas. Esa es una percepción muy latina que, como hemos vivido en un ambiente de escasez, nos ha llevado a asumir una consciencia de escasez en vez de enfocarnos en generar abundancia.

Hay organizaciones que enfrentan un desafío en términos del para qué y el cómo. Tal es el caso de las compañías productoras de gaseosas y las tabacaleras. No es mi intención cuestionar los propósitos de determinadas organizaciones, aunque es evidente que estas organizaciones tienen poca permanencia de personal.

Sus líderes saben esto e instauran modelos de contratación temporal. Cómo el líder de una organización de propósito polémico va a participar su misión e inspirar a sus participantes es una pregunta que quedará abierta pues cada una deberá responderla de acuerdo a su propia circunstancia.

Enseña

Vince Lombardi, uno de los grandes entrenadores de todos los tiempos, dijo: "Comience por enseñar lo fundamental. Un jugador necesita conocer las bases del juego y cómo desempeñarse en su posición. A continuación, asegúrese de que se comporta apropiadamente. Eso es disciplina. Los hombres tienen que jugar como equipo, no como un montón de individuos... Luego tienen que preocuparse unos por otros. Tienen que amarse los unos a los otros... La mayoría de las personas llaman a esto espíritu de equipo".

El conocimiento no debe monopolizarse, eso sería egoísmo.

Soy de los que piensa que este mundo es una montaña rusa y así como hoy estás arriba mañana puedes ser tú quien necesite ayuda. Me apasiona ver el crecimiento de las personas que tengo a mi lado y me alegra poder colaborar con un grano de arena en su formación. Todos los días podemos aprender un millón de cosas nuevas; todo es cuestión de disposición y mostrar el interés de superarnos. Al final, todo concluye en que "si haces bien por Dios, Dios hace bien por ti".

Inspirar como líder es ayudar a otros a descubrir su propio poder. Por ello creo que el logro más grande de un maestro genuino es que pueda ser superado por su discípulo, cuando lo haya ayudado a ver en su trabajo un motivo de autovaloración y de trascendencia. Así sea la momentánea felicidad de ver a un cliente satisfecho con nuestro trabajo o aporte, porque ello te conecta con el mundo.

Me declaro fanático del crecimiento de los demás, siento mucha alegría al ver que las personas que están a mi alrededor surgen y mejoran su calidad de vida. Me apasiona colaborar con un grano de arena aportando el poco conocimiento que tengo para que mis amigos y las personas que aprecio puedan obtener los resultados deseados y poder así celebrarlos juntos.

¿Qué otra industria conoces donde la persona que está por encima de ti, esté interesada y muestre disposición en brindarte todos sus "secretos"?

Nunca siento envidia, al contrario, siento admiración de ver cómo otros alcanzan sus objetivos a fuerza de trabajo y constancia. Creo firmemente en que la felicidad no es momentánea como dicen muchos, ya que si alineas tus sentimientos y haces el bien por los demás, Dios hará el bien por ti y te permitirá vivir en un estado permanente de paz y felicidad. Guy Ferguson lo dice así: "Saber cómo hacer algo constituye la satisfacción del trabajo; estar dispuesto a enseñar a otros constituye la satisfacción del maestro; inspirar a otros para hacer mejor un trabajo, constituye la satisfacción de un administrador; poder hacer todas estas tres cosas constituye la satisfacción de un verdadero líder".

Escucha

Muchos líderes temerosos de mostrarse vulnerables temen perder el control si abren las puertas para que su gente opine. Buscar feedback para estudiar la labor realizada es una ocupación cimentada en la gratitud, la empatía, el respeto y el intercambiar impresiones para corregir en función del bien común.

De mis estudios de periodismo recuerdo un "truco" para hacer las historias cautivadoras, emocionantes y convincentes: que la culebra se muerda la cola. Esto es, que el mensaje fuese circular, donde el inicio potencie el final y viceversa. Esto lo aplico en el proceso de retroalimentación del líder y su equipo, veamos:

- La retroalimentación es un proceso directo del líder con la persona.
- Tener una conversación valiente con una persona es parte del respeto que esa persona ha de inspirar.
- Compartir lo que se sientes refleja confianza tanto en ti y como en tu interlocutor.
- Y cuando hay confianza se puede hablar abiertamente y sin ambages, lo que genera mayores resultados. La culebra se muerde la cola...

En esta dinámica, el rol del jefe es transmitir las metas de equipo e individuales, lo que implica conversar con las personas y estar atento a la retroalimentación o el feedback necesarios para realizar los ajustes necesarios. Y retomar el principio con mayor fuerza, potenciarlo. No obstante, ese proceso tal como lo acabo de describir no es la práctica usual.

Con frecuencia los miembros del equipo no comparten ideas porque temen ser juzgados con dureza. Pero cuando la seguridad psicológica está presente, los miembros de la organización no se cohíben ante las posibles consecuencias de expresarse y, como resultado, aportan más y se muestran más motivados para participar para conseguir resultados.

Este elemento, estrechamente vinculado con el trabajo en equipo, involucra la forma en que el empleado se siente entre sus pares, las reglas subyacentes, si están claros los roles, si siente que puede apoyarse en otro personal, si la comunicación es fluida y abierta o si, por el contrario, hay que cuidarse las espaldas.

En los últimos años la retroalimentación ante las equivocaciones o errores se ha convertido en un fenómeno organizacional significativo debido a la necesidad cada vez mayor de aprendizaje e innovación, como lo ha demostrado, repito, Silicon Valley.

En estos ambientes de trabajo juega un papel crucial el intercambio de ideas a partir de tropiezos e interrogantes. Y un elemento significativo es la confianza necesaria para el intercambio de opiniones y conocimientos. Algunas recomendaciones para apuntalar este aspecto son:

- Clarificar roles o zonas grises entre roles de las personas.
- Organizar reuniones de equipo semanales o quincenales, en las que se discuta el progreso del equipo.
- Ofrecer retroinformación de manera informal a los miembros del equipo.
- Mantener una actitud de gratitud ofreciendo reconocimiento de manera frecuente.
- Hacer muchas preguntas abiertas y escuchar con atención, como que nada más importara en ese momento.
- Apoyar a que las personas tengan una visión personal y relacionen aquello que aprenden hoy en su trabajo con escalones para llegar a esa visión.
- Abrir espacios para escuchar ideas acerca de cómo mejorar algún proceso o actividad en el equipo.
- Permitir visibilidad de las personas abriendo el espacio para que ellos presenten sus logros en comités o reuniones con otras áreas o niveles de organización.

El comienzo de tu viaje

No quería despedirme sin darte este breve resumen de lo que aprendimos, y alentarte pues tu viaje apenas comienza.

medida que cerramos las páginas de este viaje, nos encontramos en una encrucijada de reflexión y anticipación. Hemos navegado juntos por la travesía del "sueño americano", ese ideal que muchos buscan pero pocos realmente comprenden. Emigrar al éxito es un acto valiente.

Es mirar más allá de las circunstancias actuales, más allá de los desafíos y las adversidades, y ver un horizonte lleno de posibilidades.

Pero emigrar no es simplemente cambiar de ubicación: es también cambiar de mentalidad.

Es adoptar una nueva forma de pensar, de ver el mundo, y de interactuar con él. Es entender que, para triunfar en una tierra desconocida, uno debe estar dispuesto a aprender, adaptarse y, a veces, comenzar de cero.

Por supuesto, este camino no está libre de desafíos. Todos enfrentamos momentos de duda, donde miramos hacia atrás y recordamos el "Yo era" o el "Yo tenía...". Pero esos recuerdos, aunque valiosos, no deben detenernos. En lugar de vivir en el pasado, debemos aprender a "hacernos pequeños" en el presente, para poder crecer hacia el futuro. Esto no significa minimizar nuestros logros, sino ser humildes en nuestro enfoque y estar abiertos a nuevas experiencias y aprendizajes.

En este viaje, hemos compartido sugerencias prácticas para triunfar, desde combatir el miedo hasta perseguir nuestra visión con pasión y determinación.

Hemos explorado la importancia de salir de nuestra zona de confort y de estar dispuestos a enfrentar lo inesperado. Porque, en el camino hacia el éxito, todo suma. Cada experiencia, cada desafío, y cada victoria nos lleva un paso más cerca de nuestro objetivo.

También hemos discutido la elección entre vender o emprender, dos caminos distintos pero igualmente valiosos. Ya sea que elijas el camino del emprendimiento o decidas seguir el arte de las ventas, hay claves universales para el éxito. Identificar tu propósito, crear oportunidades y trabajar estratégicamente son esenciales en cualquier ámbito.

Y mientras hablamos de ventas, recordemos que el corazón de cualquier transacción exitosa es el cliente. Conquistar clientes, entender el valor de nuestra propuesta, y aprender de los mejores en el campo son pasos esenciales. Pero, más allá de las técnicas y estrategias, está el arte de la conexión humana. La magia de la duplicación, la importancia de la primera impresión, y el poder del lenguaje positivo son aspectos esenciales que pueden marcar la diferencia entre una venta exitosa y una oportunidad perdida.

Como en cualquier viaje, habrá obstáculos. Algunos vendedores fracasan porque no siguen un sistema o método, no están dispuestos a aprender, o simplemente se rinden ante las dificultades. Pero tú, querido lector, estás armado con el conocimiento y la pasión para superar esos desafíos.

Finalmente, recordemos que ningún viaje al éxito es un esfuerzo solitario. El éxito es, en última instancia, un trabajo en equipo.

Liderar con integridad, inspirar a otros, enseñar con pasión y escuchar activamente son habilidades esenciales que todos debemos cultivar.

Así que aquí estamos, al final de este libro pero solo al comienzo de tu viaje. Estás armado con herramientas, conocimientos y, lo más importante, con una mentalidad de éxito. Ahora es el momento de dar el siguiente paso, de emigrar no solo a la prosperidad, sino a un futuro lleno de posibilidades.

Porque el verdadero viaje, para ti, acaba de comenzar.

La primera edición de
EMIGRAR A LA PROSPERIDAD
fue impresa en 2024

Made in the USA
Columbia, SC
07 November 2024